Der Autor:

Joachim Bauer, geboren 1951, arbeitet als Internist, Psychiater und Facharzt für Psychotherapeutische Medizin am Universitätsklinikum Freiburg, seit 1992 als Professor für Psychoneuroimmunologie. 1996 wurde er mit dem renommierten Organon-Forschungspreis geehrt. Neben zahlreichen Fachartikeln veröffentlichte er 2002 »Das Gedächtnis des Körpers. Wie Beziehungen und Lebensstile unsere Gene steuern.«

Joachim Bauer

Warum ich fühle, was du fühlst

Intuitive Kommunikation und
das Geheimnis der Spiegelneurone

WILHELM HEYNE VERLAG
MÜNCHEN

FSC

Mix
Produktgruppe aus vorbildlich
bewirtschafteten Wäldern und
anderen kontrollierten Herkünften

Zert.-Nr. SGS-COC-1940
www.fsc.org
© 1996 Forest Stewardship Council

Verlagsgruppe Random House FSC-DEU-0100
Das für dieses Buch verwendete FSC-zertifizierte Papier
München Super liefert Mochenwangen.

4. Auflage
Taschenbucherstausgabe 10 / 2006
Copyright © 2005 by Hoffmann und Campe Verlag, Hamburg
Der Wilhelm Heyne Verlag, München,
ist ein Verlag der Verlagsgruppe Random House GmbH.
www.heyne.de
Printed in Germany 2007
Umschlaggestaltung: Hauptmann & Kompanie Werbeagentur,
München – Zürich
Umschlagabbildungen: CORBIS / Tim Pannell;
CORBIS / zefa / Ole Graf
Satz: Dörlemann Satz, Lemförde
Druck und Bindung: GGP Media GmbH, Pößneck

ISBN: 978-3-453-61501-4

Inhalt

1.
Resonanzphänomene des Alltags:
Warum ich fühle, was du fühlst

Meistens ist es schon passiert, bevor wir beginnen konnten, darüber nachzudenken: Unwillkürlich hat man ein charmantes Lächeln erwidert. Es gibt Dinge, die einen Menschen schneller wehrlos machen können als alle Gewalt. Der Alltag ist voll von spontanen Resonanzphänomenen dieser Art. Warum ist Lachen ansteckend? Warum gähnen wir, wenn andere gähnen? Und seltsam: Weshalb eigentlich öffnen Erwachsene spontan den Mund, wenn sie ein Kleinkind mit dem Löffelchen füttern? Warum nehmen Gesprächspartner unwillkürlich eine ähnliche Sitzhaltung ein wie ihr Gegenüber? Worauf also beruht die merkwürdige Tendenz der Spezies Mensch, sich auf den emotionalen oder körperlichen Zustand eines anderen Menschen einzuschwingen?

Resonanzphänomene wie die intuitive Übertragung von Gefühlen oder körperlichen Gesten spielen nicht nur im privaten Umgang eine Rolle. In Politik und Wirtschaft dienen sie als Mittel zur Beeinflussung. Beim beruflichen Führungsverhalten können sie über Erfolg oder Misserfolg entscheiden. Obwohl sie für unser Erleben und Zusammenleben eine kaum zu übersehende Bedeutung haben, bleiben Resonanz und Intuition vielen Zeitgenossen suspekt. Handelt es sich hier nicht um Einbildung, um Esoterik, jedenfalls um unwissenschaftliche Phänomene? Doch mit der Entdeckung der Spiegelnervenzellen wurde es mit einem Mal möglich, sie neurobiologisch zu verstehen. Und nun zeigt sich: In der Medizin sind Spiegelung und Resonanz eines der wirksamsten Mittel zur Heilung, in der Psychotherapie sind sie eine wesentliche Basis für den therapeutischen Prozess. Mehr noch: Ohne Spiegelnervenzellen gäbe es keine Intuition und keine Empathie. Spontanes Verstehen zwischen Menschen wäre unmöglich und das, was wir Vertrauen nennen, undenkbar. Doch warum ist das so? Warum fühle ich, was du fühlst? Zu vermitteln, was dazu an Erkenntnissen vorliegt und die sich daraus ergebenden Konsequenzen zu reflektieren, soll der Inhalt dieses Buches sein.

Spontane Reaktionen als Forschungsobjekt im Labor

Zurück zum Lächeln, im Vorübergehen aufgefangen: Es kann uns nicht nur selbst zum Lächeln verführen, sondern, scheinbar ohne jeden Grund, auch unsere Stimmung spontan aufhellen, es kann uns vielleicht sogar den ganzen Tag retten. Natürlich ist man dafür nicht immer empfänglich, vor allem wenn man sich kurz zuvor in eine entgegengesetzte Stimmung festgebissen hat. Manche haben allerdings für die spontane, unwillkürliche Erwiderung der Stimmung eines anderen Menschen grundsätzlich keine Antenne. Ihnen würde daher auch ein zurückgeworfenes Lächeln im Vorbeigehen nie passieren. Seelische Gesundheitsstörungen können dabei eine Rolle spielen (siehe Kapitel 3 und 9). Hier soll uns die große Mehrheit derjenigen Menschen interessieren, denen es nun einmal passiert, dass sie Gesten immer wieder spontan erwidern, noch bevor sie darüber nachdenken konnten.

Bereits vor der Entdeckung der Spiegelneurone hatte man die Existenz unwillkürlicher, unbewusster Imitations- und Resonanzphänomene wissenschaftlich untersucht. Forscherkollegen, zum Beispiel Ulf Dimberg von der Universität in Uppsala/Schweden, haben Testpersonen auf einem Bildschirm Porträts menschlicher Gesichter gezeigt. Die Versuchsperson wird gebeten, möglichst neutral zu bleiben und keine Miene zu verziehen. Jede der Gesichtsaufnahmen wird fünfhundert Millisekunden lang, das ist exakt eine halbe Sekunde, eingeblendet. Dazwischen jeweils eine kurze Pause. Die Testperson ist an hauchdünne Kabel angeschlossen, die als eine Art Detektiv fungieren: Sie registrieren die Aktivität der Gesichtsmuskeln. Was interessiert, sind kleinste Regungen zweier Muskeln, nämlich einerseits des Freundlichkeits- und Lächelmuskels der Wange[1] und andererseits des Sorgen- und Ärgermuskels der Stirn[2].

Nun läuft die Fotoshow an. Da zunächst alle eingeblendeten Gesichter einen neutralen Ausdruck zeigen, hat der Kandidat keine Mühe, der ihm gegebenen Instruktion Folge zu leisten, nämlich einen neutralen, unbeteiligten Ausdruck zu bewahren. Plötzlich zeigt eines der Porträts ein Lächeln. Obwohl das Bild nur fünfhundert Millisekunden zu sehen war und die Show gleich danach wieder mit neutralen Gesichtern weitergeht, verrät das Messgerät, was passiert ist: Der Testperson war die Kontrolle über die eigenen Gesichtszüge kurz entglitten, sie hat gelächelt. Als das Spiel ein paar Minuten später wiederholt wird, diesmal mit

---

[1] Musculus zygomaticus major.
[2] Musculus corrugator supercilii.

einem ärgerlich verstimmten Gesicht, passiert das gleiche Malheur: Obwohl der Kandidat sich bemühte, neutral zu bleiben, hat einen Moment lang der Ärgermuskel über den Augen reagiert.

Das Experiment zeigt: Die Bereitschaft, spontan den emotionalen Ausdruck eines anderen Menschen zu spiegeln, mogelt sich offenbar mit Vergnügen an unserer bewussten Kontrolle vorbei. Doch es kommt noch schlimmer: Resonanzverhalten ist sogar dann auslösbar, wenn das, worauf die Reaktion erfolgt, gar nicht bewusst wahrgenommen wurde. Es funktioniert dann manchmal sogar noch besser. Dies zeigte sich, als im oben dargestellten Versuch das Bild eines lächelnden Menschen nur so kurz eingeblendet wurde, dass die Testperson gar nicht bewusst bemerkte, was sie sah.

Die Methode, einem Menschen ein Bild derart kurz[3] darzubieten, dass es nicht bewusst wahrgenommen werden kann, vom Gehirn aber trotzdem unbewusst registriert wird, nennt man »subliminale Stimulation«. Sie ist wegen der Möglichkeit, Menschen ohne deren Wissen zu beeinflussen, in der Werbung verboten. Die Natur und unsere ganz normale Alltagsrealität halten sich jedoch nicht an Verbote dieser Art. Hier spielen unbemerkt aufgenommene Wahrnehmungen eine sehr wichtige Rolle. Die menschliche Psyche und ihr neurobiologisches Instrument, das Gehirn, nehmen, unter Umgehung unseres Bewusstseins, täglich unzählige Hinweise und Reize auf. Resonanz heißt: Diese Wahrnehmungen, egal ob bewusst oder unbewusst, werden nicht nur in uns abgespeichert, sondern können auch Reaktionen, Handlungsbereitschaften sowie see-

---

[3] Rund vierzig Millisekunden.

lische und körperliche Veränderungen in Gang setzen. Schuld daran sind die phänomenalen Leistungen der Spiegelneurone.

Stimmungen, Gefühle und Körperhaltungen: Vorsicht, Ansteckungsgefahr!

Nicht nur der Ausdruck unserer Mimik, auch die mit ihr verbundenen Gefühle können sich von einem Menschen auf den anderen übertragen. Phänomene der Gefühlsübertragung sind uns derart vertraut, dass wir sie als selbstverständlich voraussetzen. Wir stutzen erst dann, wenn sie uns dadurch auffallen, dass sie, sagen wir bei einem Menschen ohne Anteilnahme, plötzlich ausbleiben. Menschen reagieren selbst wie unter Schmerz, wenn sie den Schmerz einer anderen Person miterleben. Sie verziehen unwillkürlich das Gesicht, wenn ein nahe stehender Mensch von einer empfindlichen medizinischen Prozedur, etwa der Entfernung eines Fingernagels, erzählt. Übertragungen dieser Art haben auch ihre amüsante Seite, zum Beispiel, wenn in der Boxkampfarena Zuschauer spontan aufspringen und mit der eigenen Faust den Schlag ausführen, den sie bei ihrem Helden sehen oder gern sehen wollen.

Überall, wo Leute zusammen sind, passiert es mit größter Regelmäßigkeit: Menschen steigen auf Stimmungen und Situationen, in denen sich andere befinden, emotional ein und lassen dies durch verschiedene Formen der Körpersprache auch sichtbar werden, meist dadurch, dass sie die zu einem Gefühl gehörenden Verhaltensweisen unbewusst imitieren oder reproduzieren. Wie bei einer seltsamen Infektionskrankheit kann eine Person in anderen Personen spontan und unwillkürlich gleich gerichtete emotionale Reaktionen auslösen. Dem Grund für diese als »emotionale Ansteckung« (in der Fachsprache als »emotional contagion«) bezeichneten Übertragungen werden wir im Weiteren nachgehen. Auch hier sind die Spiegelneurone im Spiel.

Resonanz- und Spiegelphänomene können im Alltag auch bei ganz normalen körperlichen Bewegungen auftreten. So zeigen Menschen eine unbewusste Tendenz, Haltungen oder Bewegungen eines gegenübersitzenden Gesprächspartners spontan zu imitieren. Oft übernehmen sitzende Gesprächspartner, vor allem wenn sie in gutem Einvernehmen sind, unwillkürlich dieselbe Körperhaltung, die kurz zuvor der andere eingenommen hat. Am häufigsten zu beobachten ist, dass ein Gesprächspartner unbewusst einen Wechsel beim Überschlagen der Beine vollzieht, wenn das Gegenüber dies gerade ebenfalls getan hat. Einer von beiden hat sich gerade vorgelehnt, die Hand nachdenklich zum Kopf geführt und sich leicht aufgestützt, kurz darauf tut der andere exakt das Gleiche. Schaut der eine Gesprächspartner plötzlich zu einem bestimmten Punkt an die Decke, wird die andere Person diesem Blick in der Regel unwillkürlich folgen.

Was uns im Alltag kaum noch auffällt: Die Blicke anderer Personen, die einen gewaltigen Teil unserer Aufmerksamkeit binden, lösen erstaunliche, ohne jedes Nachdenken in Gang gesetzte Mitreaktionen aus. Das Ergebnis ist, dass zwischen Menschen, die miteinander in Kontakt stehen, eine kontinuierliche, in hohem Maße gleich laufende Aufmerksamkeit hergestellt wird – ein Phänomen, das in der neurobiologischen Fachsprache als »joint attention« bezeichnet wird. Auch hier sind wieder Spiegelneurone mit von der Partie. Wie und warum, auch dazu später mehr.

Automatisch ablaufende Spiegelungs- und Imitationsreaktionen können gelegentlich lästig sein, zum Beispiel, wenn wir unweigerlich gähnen müssen, nur weil wir jemanden hemmungslos gähnen sehen. Wissenschaftler sind sich keineswegs zu fein, um nicht auch solche scheinbar banalen Phänomene zu erforschen. James Anderson fand heraus, dass sogar Schimpansen diesem ansteckenden Gähnzwang unterliegen. Auf der anderen Seite machen wir uns, ohne darüber nachzudenken, Spiegelungsphänomene durchaus auch zu Nutze. Ich habe es eingangs schon erwähnt: Fütternde öffnen, im Blickkontakt mit dem Kleinkind, selbst den Mund, wenn sie den Löffel zum Mund des Kindes führen. Sie tun dies aus dem intuitiv richtigen Wissen heraus, dass sich dadurch die Wahrscheinlichkeit erhöht, dass das Kind nun seinerseits den Mund öffnen wird.

Intuitive Ahnungen und Vorhersagen

Mimik, Blicke, Gesten und Verhaltensweisen, die wir bei anderen wahrnehmen, haben eine weitere Wirkung, die mindestens ebenso bedeutsam ist wie die emotionale Resonanz: Sie führen in uns zu einem inneren Wissen über das, was im weiteren Verlauf zu erwarten ist. Ohne intuitive Gewissheiten darüber, was eine gegebene Situation unmittelbar nach sich ziehen wird, wäre das Zusammenleben von Menschen kaum denkbar. Wir sind im Alltag darauf angewiesen, dass beobachtetes Verhalten uns ein sofort verfügbares, intuitives Wissen über den weiteren Ablauf eines Geschehens vermittelt. Intuitiv zu spüren, was zu erwarten ist, kann vor allem dann, wenn es auf eine Gefahrenlage hinausläuft, überlebenswichtig sein.

Doch glücklicherweise ist das Leben nicht nur gefährlich. Auch in angenehmen Situationen ist es gut, intuitiv zu wissen, was für Vorhersagen sich aus ihnen hinsichtlich des weiteren Verlaufs ableiten lassen. Nehmen wir eine Standardsituation, die die meisten kennen, zumindest aus Liebesfilmen: Zwei Verliebte stehen sich erstmals nah und ungestört von Angesicht zu Angesicht gegenüber, sein Blick fällt, auch das ergibt sich meist spontan, auf ihren Mund (oder ihr Blick auf seinen). Obwohl kein Wort gesprochen werden muss, ist dieser Blick für beide eine eindeutige Vorhersage dessen, was jetzt kommen wird. Intuitiv zu erkennen, was der Blick eines anderen Menschen über seine Wünsche und Absichten aussagt, spielt in jeder zwischenmenschlichen Situation eine bedeutende Rolle. In der Kussszene jedenfalls ist es für die Person, die den Kuss erhalten soll, ein Grund zur Freude oder die letzte Chance, das durch den Blick angekündigte Manöver in letzter Sekunde abzublasen.

Besäßen wir nicht die Fähigkeit, aus der Beobachtung von Menschen ohne jegliches Nachdenken intuitive Gewissheiten über ihre Absichten und den weiteren Ablauf des Geschehens zu gewinnen, dann müssten wir uns in zwischenmenschlichen Belangen mit der Sehkraft eines Maulwurfs begnügen. Ohne ein intuitives Gefühl für die zu erwartenden Bewegungen anderer würden wir nicht ohne Kollisionen durch eine volle Fußgängerzone gelangen. Wir könnten als Skifahrer keinen stark befahrenen Hang hinabfahren, ohne im Krankenhaus zu landen. Das Gehirn hat dieses Schnellerkennungssystem perfektioniert: Um aus den körperlichen Bewegungen anderer Menschen intuitiv richtige Schlüsse zu ziehen, reichen erstaunlich wenig Merkmale. Versuche zeigen, dass in völliger Dunkelheit nur einige Lichtpunkte an den Schultern, Ellenbogen,

Handgelenken, Hüften, Knien und Fußgelenken eines Menschen ausreichen, um zu erkennen, ob es sich um einen Mann oder eine Frau handelt. Mehr noch: Anhand einer solchen Notbeleuchtung können die meisten Menschen sofort ihren Partner/ihre Partnerin oder andere ihnen vertraute Menschen identifizieren. Vor allem aber sind wir auf Grund dieser wenigen Signale weitgehend in der Lage zu sagen, was die beobachtete Person, wenn sie sich bewegt, gerade tut oder beabsichtigt. Ohne Spiegelneurone wäre auch dies nicht möglich.

Intuitives Verstehen: Die Fähigkeit zur »Theory of Mind«

Eindrücke von einer anderen Person erlauben uns Vorhersagen, die über Bewegungsabläufe weit hinausgehen. Wieso spüren Eltern, dass etwas nicht stimmt, wenn das Kind flunkert oder aus anderen Gründen innerlich in Bedrängnis ist? Warum sind wir in der Lage, unausgesprochene Störungen ähnlicher Art auch in einer Partnerschaft zu fühlen? Ganz allgemein: Wie kommt es, dass wir bei anderen Menschen intuitiv wahrnehmen können, was los ist? Auch ohne Worte, ja manchmal sogar entgegen dem, was gesagt wurde, erkennen wir oft nur zu gut, was andere wirklich beabsichtigen oder sich wünschen. Menschen, dies wird an diesen Beispielen deutlich, leben in einem gemeinsamen, zwischenmenschlichen Bedeutungsraum, der es uns ermöglicht, die Gefühle, Handlungen und Absichten anderer intuitiv zu verstehen. Als neue Erkenntnis hat sich in den vergangenen Jahren herauskristallisiert, dass die neuronale Hardware dieses Bedeutungsraumes das System der

Spiegelneurone ist. Dieses System ist außerordentlich benutzerfreundlich. Es arbeitet spontan und vor allem unabhängig davon, ob wir uns unseres analytischen Verstandes bedienen. Sich ungeachtet dessen ergänzend des bewussten Nachdenkens zu bedienen bleibt sicher auch weiterhin zu empfehlen. Allerdings kann der analytische Verstand auch hinderlich dabei sein, intuitiv das Richtige zu erkennen. Beides, Intuition und Intellekt, können uns in die Irre führen, wenn wir das eine ohne das andere benutzen. Keine rationale Analyse macht es jedoch möglich, einen anderen Menschen empathisch, also aus dem Anteil nehmenden Gefühl heraus, zu verstehen. Das Vermögen, intuitive Vorstellungen und vertrauensbildende Gewissheiten über die Gefühle und Absichten eines anderen Menschen zu gewinnen, bezeichnen Fachleute heute als die Fähigkeit zur »Theory of Mind (TOM)«.

Welch wichtige Rolle intuitiv zugängliche, gemeinsame Bedeutungsräume spielen, in denen wir uns gegenseitig als Menschen erkennen, die sich untereinander verstehen können, zeigt sich spätestens dort, wo diese Gemeinsamkeit nicht, oder nicht mehr, vorhanden ist. Wenn ein Mensch nicht fühlen kann, dass er im gleichen Bedeutungsraum seine Heimat hat, in dem sich auch die anderen befinden, können sich Probleme ergeben. Umgekehrt kann es geschehen, dass die Gemeinschaft einen Einzelnen aus der Welt des Sich-Verstehens ausschließt, indem sie der oder dem Betroffenen den Zugang zum gemeinsamen Bedeutungs- und Resonanzraum verwehrt. Die soziale Vernichtung, bei bestimmten Naturvölkern als Voodoo praktiziert, hat in Form des Mobbing ihre moderne Fortsetzung gefunden. Der Blick wird verweigert oder signalisiert Ausgrenzung. Der Gruß wird nicht mehr erwidert. Gesten stoßen auf eiskalte Reaktionslosigkeit. Hier finden Spiegelungen nicht mehr statt. Daran, dass Menschen, die von einer solchen Exkommunikation betroffen sind, meistens krank werden, zeigt sich: Der gemeinsame Bedeutungsraum ist nicht nur eine psychologische Lebensbedingung, sondern wird auch vom Körper registriert, er schlägt sozusagen auf seine Biologie und die medizinische Gesundheit durch (siehe Kapitel 7).

Resonanz heißt: Etwas wird zum Schwingen oder Erklingen gebracht. Die Fähigkeit des Menschen zu emotionalem Verständnis und Empathie beruht darauf, dass sozial verbindende Vorstellungen nicht nur untereinander ausgetauscht, sondern im Gehirn des jeweiligen Empfängers auch aktiviert und spürbar werden können. Es muss demnach ein System wirksam sein, das den Austausch von inneren Vorstellungen und Gefühlen bewerkstelligen und außerdem die ausgetauschten Vorstellungen im Empfänger zu einer Resonanz, also zum Erklingen, bringen kann. Es würde jenen gemeinsamen, zwischenmenschlichen Bedeutungsraum erzeugen, von dem bereits die Rede war. Wie sich herausgestellt hat, ist das System der Spiegelneurone das neurobiologische Format, das diese Austausch- und Resonanzvorgänge möglich macht. Wie Spiegelnervenzellen diese Aufgaben leisten, ist das Thema dieses Buches.

2.

Die neurobiologische Entdeckung:
Was Spiegelneurone leisten

Die Entdeckungsgeschichte der Spiegelnervenzellen begann mit jenen Neuronen des Gehirns, mit denen Lebewesen ihre Handlungen steuern. Sie sitzen in einer speziellen Region der Hirnrinde, in unmittelbarer Nachbarschaft zu Nervenzellen, welche die Muskelbewegungen unter ihrem Kommando haben.[1] Die Abbildungen auf den Seiten 19 und 52 zeigen uns dazu eine Art neurobiologische Landkarte. Handlungssteuernde Nervenzellen, wir nennen sie hier *Handlungsneurone*, sind intelligent: Sie verfügen über Programme, mit denen sich zielgerichtete Aktionen ausführen lassen. Sie kennen den Plan einer gesamten Handlung und haben sowohl deren Ablauf als auch den damit angestrebten Endzustand, also den voraussichtlichen Ausgang einer Handlung, gespeichert. Ganz anders die Neu-

---

[1] Nervenzellen, welche die direkte Kontrolle über Muskelaktionen haben (*Bewegungsneurone*), befinden sich im so genannten motorischen Cortex (Cortex = Hirnrinde). Nervenzellen, die das Programm für ganze Handlungen gespeichert haben (*Handlungsneurone*), sitzen im so genannten prämotorischen Cortex, der sich unmittelbar vor dem motorischen Cortex befindet. Nur für Fachleute interessant ist: Die exakte Bezeichnung der prämotorischen Areale, von denen hier die Rede ist, lautet beim Affen F5, beim Menschen Brodman A44 und A45 (dieser untere Teil der prämotorischen Hirnrinde ist teilweise identisch mit der Broca-Region).

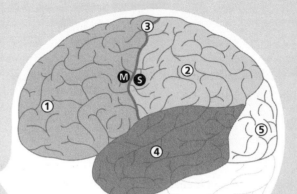

Frontallappen ①:
Die motorische Rinde **Ⓜ** liegt direkt vor dem Sulcus centralis ③.
Direkt vor der motorischen Rinde liegt die prämotorische Rinde.
Die vordere Hälfte des Frontallappens beherbergt die
Entscheidungsplanung und das soziale Gewissen.

Parietallappen (Scheitellappen) ②:
Direkt hinter dem Sulcus centralis liegt das von oben nach unten
ziehende Band des körperlichen Empfindens (somatosensible
Hirnrinde) **Ⓢ**.

Sulcus centralis = große Querfurche ③:
Sie trennt das Frontalhirn ① vom Parietallappen (Scheitellappen) ②.

Temporallappen, Schläfenlappen ④

Occipitallappen, Hinterhauptslappen ⑤

rone in ihrer unmittelbaren Nachbarschaft, die Muskelbewegungen kontrollieren: Diese Nervenzellen, wir nennen sie *Bewegungsneurone*, haben das unmittelbare Kommando über die Muskulatur, doch Intelligenz ist nicht ihre Stärke. Sie tun, was die Programme der Handlungsneurone ihnen sagen.

Nervenzellen mit dem Programm für Handlungen: Asterix und Obelix in der Hirnrinde

Bei der Ausführung einer Aktion geht das Gehirn ähnlich vor wie Asterix und Obelix: Den Plan haben die Handlungsneurone, die intelligenten Asterix-Nervenzellen der prämotorischen Hirnrinde. Die konkrete Ausführung erfolgt durch die Bewegungsneurone, die Obelix-Nervenzellen der benachbarten motorischen Hirnrinde, die den Muskeln den Marschbefehl geben. Untersuchungen zum Ablauf von Handlungen zeigen, dass die Handlungsneurone ihre bioelektrischen Signale abfeuern, bevor die Bewegungsneurone in Aktion treten. Der Zeitunterschied zwischen dem Plan von Asterix und der von Obelix ausgeführten Aktion beträgt zwischen 100 und 200 Millisekunden, also ein bis zwei Zehntel einer Sekunde.[2]

Allerdings: Nicht jede Idee, die Asterix in den Sinn kam, ließ er von Obelix auch in die Tat umsetzen. So verhält es

---

[2] Dass beim Menschen im Falle einer Aktion die Handlungsneurone der prämotorischen Hirnrinde 100 bis 200 Millisekunden vor den Bewegungsneuronen der motorischen Hirnrinde feuern, wurde mittels Ableitung entsprechender magnetenzephalographischer Potenziale gezeigt.

sich auch bei den Handlungsneuronen. Zwar können Bewegungsneurone, wenn sie von den handlungssteuernden Nervenzellen keine Anweisungen erhalten, allein niemals zielgerichtete Handlungen ausführen. Andererseits aber kommt es nicht jedes Mal, wenn Handlungsneurone aktiv werden, unbedingt auch zu einer tatsächlichen Aktion der Bewegungsneurone. Es kann auch bei der bloßen Vorstellung oder beim Nachdenken über eine Handlung bleiben. Was Handlungsneurone kodieren, kann also ein *Handlungsgedanke* bleiben. Ebenso allerdings gilt: Handlungsvorstellungen, über die häufig nachgedacht wurde, haben eine bessere Chance, realisiert zu werden, als solche, die vorher nicht einmal als Idee vorhanden waren. Was sich auch experimentell beweisen lässt. Was dies für die Frage des freien Willens bedeutet, wird zu erörtern sein (siehe Kapitel 11).

Die Entdeckung der Spiegelnervenzellen

Giacomo Rizzolatti, Chef des Physiologischen Instituts der Universität Parma, hat nicht nur die sympathische Ausstrahlung eines italienischen Albert Einstein, auch die von ihm gemachten Entdeckungen haben es in sich. Der Besuch, den ich ihm vor einiger Zeit abstatten konnte, hinterließ bei mir einen tiefen Eindruck. Ich begegnete einem hellwachen, schnell assoziierenden Geist, der erkannt hatte, dass die Bedeutung seiner Forschungsergebnisse weit über sein eigentliches Gebiet hinausreicht. Er und seine Mitarbeiter untersuchen seit langem, wie das Gehirn die Planung und Ausführung zielgerichteter Handlungen steuert. Kein Wunder also, dass die intelligenten Handlungsneurone vom Typ Asterix seit etwa zwanzig Jahren sein

Forschungsthema sind. Er begann in den achtziger Jahren mit seinen Untersuchungen bei Affen. Da deren Gehirn unserem ähnelt, dehnte Rizzolatti seine Forschungen später, Ende der neunziger Jahre, auch auf den Menschen aus. Die Ergebnisse waren bei beiden Spezies die gleichen. 1996 machte er bei Affen die folgende Beobachtung: Er hatte zahlreiche Handlungsneurone der Tiere unter schmerzfreien Bedingungen, das heißt unter Narkose, an extrem feine Messfühler angeschlossen. Ohne dass sich die Nervenzellen dadurch irgendwie gestört fühlten, ließ sich, nachdem die Tiere aufgewacht waren, genau feststellen, wann und wie oft sie ihre Signale abfeuerten. Auf diese Weise konnten einzelne Handlungsneurone identifiziert und ganz bestimmten Aktionen zugeordnet werden. Eine solche Nervenzelle feuerte immer dann, und *nur* dann, wenn der Affe eine spezifische Handlung ausführte.

Zum Star in diesem Ensemble von verkabelten Zellen wurde eine handlungssteuernde Nervenzelle vom Typ Asterix, die immer dann – und *nur* dann – feuerte, wenn der Affe mit seiner Hand nach einer Erdnuss griff, die auf einem Tablett lag.[3] Genau dafür, und für nichts sonst, hatte diese Zelle den Plan. Weder beim alleinigen Anblick der Nuss noch bei einer sonstigen Greifbewegung der Hand, also ohne Nuss, ging von dieser Zelle irgendeine Aktivität aus. Dass es wirklich der Handlungsplan war, den diese Zelle kodierte, und nicht etwa der Anblick der Nuss, zeigte sich an einer cleveren Variante des Experiments: Die Ner-

---

[3] Der Genauigkeit halber sei darauf hingewiesen, dass eine solche Nervenzelle natürlich immer mit mehreren anderen Neuronen in Verbindung steht, also Teil eines kleinen Nervenzellnetzes ist. Das Handlungsprogramm ist nicht nur in der einzelnen Zelle, sondern in dem Netzwerk gespeichert, zu dem sie gehört.

venzelle feuerte auch dann, wenn der Affe in völliger Dunkelheit nach der Nuss auf dem Tablett greifen musste, nachdem sie ihm zuvor bei Licht gezeigt worden war. Rizzolatti hatte bei diesem Tier also ein Handlungsneuron identifiziert, das den Plan für die Aktion »Greifen nach einer Nuss, die auf einer Fläche liegt« kodierte. Jedes Mal, wenn der Affe diese Handlung ausführte, begann die Aktion mit einem bioelektrischen Signal *dieser* Nervenzelle. Aber damit nicht genug. Denn nun beobachteten die Forscher etwas Erstaunliches: dass diese Zelle auch dann feuerte, wenn der Affe *beobachtete*, wie jemand anders nach der Nuss auf dem Tablett griff. Man braucht einen Moment, um zu begreifen, was das bedeutete. Es war eine neurobiologische Sensation.

Die Sensation war, dass es so etwas wie eine neurobiologische Resonanz gibt[4]: Die Beobachtung einer durch einen anderen vollzogenen Handlung aktivierte im Beobachter, in diesem Fall dem Affen, ein eigenes neurobiologisches Programm, und zwar genau *das* Programm, das die beobachtete Handlung bei ihm selbst zur Ausführung bringen könnte. Nervenzellen, die im eigenen Körper ein bestimmtes Programm realisieren können, die aber auch dann aktiv werden, wenn man beobachtet oder auf andere Weise miterlebt, wie ein anderes Individuum dieses Programm in die Tat umsetzt, werden als *Spiegelneurone* bezeichnet.[5]

---

[4] Resonanz (vom Lateinischen: Wieder-Erklingen oder Zurück-Erklingen) wurde ursprünglich als physikalisches Phänomen untersucht: Schwingende Saiten eines Instruments können bestimmte andere Saiten zum Mitschwingen, und damit auch zum Mitklingen, bringen.

[5] Spiegelneurone oder Spiegelnervenzellen werden in der englischen Fachliteratur »mirror neurons« genannt.

Spiegelneurone lassen sich aber nicht nur dadurch zur Resonanz aktivieren, dass bei einem anderen eine Handlung *beobachtet* wird. Geräusche, die typisch für eine bestimmte Handlung sind, haben den gleichen Effekt: Wird das Erdnuss-Experiment mit dem Affen so aufgebaut, dass die Nüsse in einem Papier enthalten sind, das beim Öffnen auf typische Weise raschelt, reicht dieses Geräusch aus, um die entsprechenden handlungssteuernden Spiegelneurone des Affen zu aktivieren. Beim Menschen genügt es zu hören, wie von einer Handlung gesprochen wird, um die Spiegelneurone in Resonanz treten zu lassen. Fazit: Nicht nur die Beobachtung, jede Wahrnehmung eines Vorgangs, der bei anderen abläuft, kann im Gehirn des Beobachters Spiegelneurone zum Feuern bringen.

Auch beim Menschen lässt sich das Spiegelungsphänomen nachweisen. Dabei helfen Methoden, mit denen man, ohne in den Körper der untersuchten Person einzudringen, Schnittbilder des Gehirns erzeugen kann. Diese so genannten bildgebenden Verfahren machen es möglich, zu einem bestimmten Zeitpunkt bzw. in einer bestimmten Situation aktive Nervenzellnetze darzustellen. Die für diesen Zweck derzeit gebräuchlichste Methode ist die funktionelle Kernspintomographie (f-NMR abgekürzt).[6] Die Testperson wird in eine Untersuchungsröhre gelegt. Da in dieser ein kleiner Bildschirm sowie kleine manuelle Bedienungselemente (zum Beispiel ein Joystick) installiert werden können und die untersuchte Person außerdem über Mikrofon und Ohrstöpsel in akustischem Kontakt mit der Außenwelt steht, kann man sie nun verschiedenen experi-

---

[6] Zu diesen modernen bildgebenden Verfahren zählt neben der funktionellen Kernspintomographie (f-NMR) die Positronen-Emissions-Tomographie (PET).

mentellen Prozeduren unterziehen. Gehirnareale, die dabei in Aktion treten müssen, kann der Kernspintomograph in einem mehrfarbigen Bild des untersuchten Gehirns sichtbar machen. Mit Methoden wie der funktionellen Kernspintomographie lassen sich auch Spiegelphänomene nachweisen. Menschen, welche die Handlungen anderer beobachten, aktivieren Netzwerke ihrer eigenen Handlungsneurone. Bei ihnen tritt die Resonanz genau in jenen Zellnetzen auf, die auch dann feuern würden, wenn die jeweilige Versuchsperson die entsprechende Handlung selbst ausführte.

Beim Menschen lassen sich nun auch einige weitere Beobachtungen gewinnen, die man mit Affen nicht durchführen kann, da er unsere Anweisungen nicht versteht: Handlungssteuernde Nervenzellen werden nicht nur aktiv, wenn die entsprechende Handlung bei einem anderen beobachtet wird. Sie funken auch dann, wenn man der Testperson sagt, sie möge sich die betreffende Handlung vorstellen. Am stärksten feuern sie allerdings, wenn eine Person gebeten wird, eine beobachtete Handlung simultan zu imitieren. Die Spiegelneurone des handlungssteuernden prämotorischen Systems liegen beim Menschen in einem Hirnareal, in dem sich auch jene Nervenzellnetze befinden, die Sprache produzieren. Sollte die Sprache etwa aus nichts anderem bestehen als aus Vorstellungen über Handlungsprogramme?

Bei anderen wahrgenommene Handlungen rufen unweigerlich die Spiegelneurone des Beobachters auf den Plan. Sie aktivieren in seinem Gehirn ein eigenes motorisches Schema, und zwar genau dasselbe, welches zuständig wäre, wenn er die beobachtete Handlung selbst ausgeführt hätte. Der Vorgang der Spiegelung passiert simultan, unwillkürlich und ohne jedes Nachdenken. Von der wahrgenommenen Handlung wird eine interne neuronale Kopie hergestellt, so, als vollzöge der Beobachter die Handlung selbst. Ob er sie wirklich vollzieht, bleibt ihm freigestellt. Wogegen er sich aber gar nicht wehren kann, ist, dass seine in Resonanz versetzten Spiegelneurone das in ihnen gespeicherte Handlungsprogramm in seine innere Vorstellung heben. Was er beobachtet, wird auf der eigenen neurobiologischen Tastatur in Echtzeit nachgespielt. Eine Beobachtung löst also in einem Menschen eine Art innere Simulation aus. Es ist ähnlich wie im Flugsimulator: Alles ist wie beim Fliegen, sogar das Schwindelgefühl beim Sturzflug stellt sich ein, nur, man fliegt eben nicht wirklich.

Das Bild des Flugsimulators kann uns einen weiteren Punkt klären helfen. Wie das System der Spiegelneurone funktioniert, lässt sich an folgendem Beispiel veranschaulichen: Ein echter Pilot zieht in einer Propellermaschine in geringer Höhe seine Kreise. Alle Flugoperationen, die er mit seiner Maschine durchführt, werden in Echtzeit in einen Flugsimulator am Boden übertragen, in dem sich der »Beobachter« befindet. Seine »Beobachtung« besteht darin, dass er den Flug des Piloten als Simulationsprogramm erlebt. Ebenso wie der im Flugsimulator sitzende »Beobachter« macht auch der ganz normale Beobachter, der die Handlung eines anderen Menschen miterlebt, folgende Erfahrung: Indem er das, was er beobachtet, unbewusst als inneres Simulationsprogramm erlebt, *versteht* er, und zwar spontan und ohne nachzudenken, was der andere tut.[7] Weil dieses Verstehen die *Innenperspektive* des Handelnden mit einschließt, beinhaltet es eine ganz andere Dimension als das, was eine intellektuelle oder mathematische Analyse des beobachteten Handlungsablaufs leisten könnte. Was die Spiegelnervenzellen im Beobachter ablaufen lassen, ist das Spiegelbild dessen, was der andere tut. Natürlich beschränkt sich die Wahrnehmung eines anderen Menschen nicht allein auf innere Simulation, aber sie bezieht diesen wichtigen Aspekt mit ein.

Spiegelneurone und die Intuition

Damit der zwischenmenschliche Alltag einen wenigstens halbwegs reibungslosen Verlauf nimmt, müssen eine ganze Reihe von Voraussetzungen gegeben sein, und das permanent, in jedem Moment des Tages. Die meisten dieser Voraussetzungen halten wir für absolut selbstverständlich, wir

---

[7] Um im Beispiel des Flugsimulators zu bleiben: Der im Simulator sitzende »Beobachter« sieht, wie sich das Flugzeug des realen Piloten einem Berg nähert. Da er die Innenperspektive miterlebt, versteht er *spontan* und *intuitiv*, warum der Pilot sein Flugzeug zum Beispiel plötzlich aufsteigen lässt oder abdreht, wenn die Bergspitze näher kommt. Dieses Verstehen ist ein direkteres und spontaneres als jenes, das auf Grund einer analytischen Betrachtung oder mathematischen Berechnung möglich wäre. Natürlich kann das eine das andere nicht ersetzen.

verlassen uns fest auf sie. Dabei sind sie alles andere als selbstverständlich. Es handelt sich um unreflektierte Gewissheiten, um das, was Fachleute als *implizite* Annahmen bezeichnen. Eine Gewissheit, ohne die es sich nur ungemütlich leben ließe, besteht darin, dass sich die uns gerade umgebenden Menschen in den nächsten Momenten halbwegs vorhersehbar, das heißt innerhalb einer von uns erwarteten Bandbreite verhalten. Das betrifft nicht nur banale motorische Abläufe wie die Wege der anderen in einer belebten Fußgängerzone oder auf einem übervölkerten Skihang, sondern vor allem das zu erwartende Verhalten anderer Personen. Sicher werden wir, wenn kein besonderer Anlass vorliegt, während eines Empfangs oder einer Party kaum anfangen, bewusst über die Sicherheit der Situation nachzudenken. Wir orientieren uns aber[8], ohne uns dessen bewusst zu werden, und zwar so, dass sich für uns daraus ein *implizites* Wissen ergibt, ob von den Anwesenden ein friedlicher Ablauf zu erwarten ist. Doch das ist nicht immer der Fall.

Jeder kennt Situationen, in denen eine Person, die im Moment nichts Böses tut, in uns das ungemütliche Gefühl weckt, etwas Bedrohliches könnte geschehen. Erst wenn das Gefühl der Sicherheit plötzlich nicht mehr da ist, wird uns bewusst, wie sehr wir von impliziten Gewissheiten abhängig sind. Spiegelphänomene machen Situationen – ob im Guten oder im Schlechten – vorhersehbar. Sie erzeugen ein Gefühl, das wir *Intuition* nennen und das uns *ahnen* lässt,

---

[8] Diese automatisch ablaufende Orientierung regelt ein ebenfalls automatisch arbeitendes, überwiegend optisches Interpretationssystem, mit dem wir verschiedene Zeichen der Körpersprache anderer Menschen deuten (S. 51 ff.).

was kommen könnte.[9] Was die Intuition ahnt, ist nicht dem Zufall überlassen. Sie ist sozusagen eine besondere, abgemilderte Form der impliziten Gewissheit, eine Art Ahnung oder siebter Sinn.

Nun stellen sich zwei Fragen. Erstens: Welche Signale sind es, die im Beobachter nicht irgendwelche, sondern ganz bestimmte implizite Gewissheiten oder Intuitionen auslösen? Wie funktioniert das Interpretationssystem, das diese Signale aufnimmt und deutet? Und zweitens: Wie lässt sich erklären, dass sich die implizite Gewissheit, ebenso wie die Intuition, nicht nur darauf beschränkt, was im aktuellen Moment passiert, sondern auch, oft mit einer recht guten Wahrscheinlichkeit, Vorhersagen möglich macht? – Wir schieben die erste Frage noch etwas auf und wenden uns zunächst der zweiten zu.

Der neurobiologische Mechanismus, der uns in die Lage versetzt, ausgehend von einer bestimmten aktuellen Situation *spontan und intuitiv* den vermutlichen weiteren Ablauf vorauszusehen, wurde durch ein recht trickreiches und raffiniertes Experiment aufgehellt, das sich Maria Alessandra Umiltà, eine junge Mitarbeiterin von Giacomo Rizzolatti, einfallen ließ. Sie beschäftigte sich weiter mit den Affen, bei denen man in vorherigen Experimenten handlungssteuernde Nervenzellen identifiziert hatte. Es ging dabei ja um jene Handlungsneurone, die jeweils für eine ganz bestimmte Aktion ein Programm gespeichert

---

[9] Nicht immer stellt sich eine Intuition ein, wenn eine implizite Gewissheit verloren gegangen ist. Was folgt, wenn eine Situation nicht mehr vorhersehbar ist und uns auch keine Intuition weiterhilft, ist eine heftige neurobiologische Stressreaktion mit einem massiven Gefühl der Angst.

hatten.[10] Bei einem der Tiere war, wie bereits geschildert, eine handlungssteuernde Nervenzelle gefunden worden, die immer dann, und *nur* dann, Signale abfeuerte, wenn das Tier mit der Hand nach einer auf dem Tablett liegenden Nuss griff. Dass es sich um eine Spiegelzelle handelte, hatte sich daran gezeigt, dass sie auch dann spontan aktiv wurde, wenn der Affe den Griff nach einer Nuss, ausgeführt von einem der Anwesenden im Labor, nur *beobachtete*. Umiltà wiederholte dieses Beobachtungsexperiment, veränderte aber eine wesentliche Bedingung für den Affen. Man ließ das Tier zu Beginn zwar kurz einen Blick auf die Nuss werfen, nahm ihm dann aber die Sicht, indem man vor Nuss und Tablett eine Platte aufstellte. Wenn nun jemand, von der Seite kommend, nach der Nuss griff, konnte der Affe nur sehen, wie ein Arm dieser Person, gleich nachdem er im Sichtfeld des Affen aufgetaucht war, hinter der Trennwand verschwand.[11] Der Affe konnte den eigentlichen Zugriff also nicht sehen. Doch die Wahrnehmung der kurzen Anfangssequenz der Handlung reichte dem Handlungsneuron des Affen, um zu »wissen«, was hier gespielt wurde: Die Spiegelzelle, die das Programm für die *gesamte* Handlungsfolge »Greifen nach Nuss« gespeichert hatte, feuerte, obwohl sie nur Informationen über einen Teil der Handlungssequenz hatte.[12] Ein Experiment, das

---

[10] Wie bereits an früherer Stelle ausgeführt, ist das Programm genau genommen nicht nur in dieser einen Zelle gespeichert, sondern im gesamten Zellverbund, zu dem diese Zelle gehört.

[11] Diese experimentelle Anordnung erhielt die Fachbezeichnung »hidden condition«.

[12] Dieses Experiment ist derart bedeutend, dass es im Top-Journal »Neuron« publiziert wurde. Maria Alessandra Umiltà gab ihrer Studie dort den für eine wissenschaftliche Arbeit ungewöhnlichen, aber zutreffenden Titel: »I know what you are doing« (»Ich weiß, was du tust«).

vieles erklärt, was man – vor allem im Hinblick auf die Intuition – bisher nicht erklären konnte.

Ein kurzer Eindruck, manchmal nur eine Momentaufnahme, genügt, um uns eine intuitive Ahnung zu vermitteln, was gerade vor sich geht und worauf wir uns einzustellen haben. Der Grund: Die Beobachtung von *Teilen einer Handlungssequenz* eines anderen reicht aus, um im Beobachter dazu passende Spiegelneurone zu aktivieren, die ihrerseits aber die *gesamte Handlungssequenz* »wissen«. Was Umiltà bei ihren so verdienstvollen Affen fand, zeigt sich auch beim Menschen. Und: Es gilt nicht nur für motorische Handlungsfolgen, sondern ebenso, wie wir später noch sehen werden, für Abläufe des Empfindens und Fühlens. Auch wenn wir nur einen Teil einer Sequenz wahrgenommen haben, lassen Spiegelnervenzellen im Gehirn, und damit auch in der Psyche eines Beobachters, spontan und ohne unser willentliches Zutun den Gesamtablauf aufscheinen. Die Wahrnehmung kurzer Teilsequenzen kann genügen, um schon vor Beendigung des Gesamtablaufs intuitiv zu wissen, welcher Ausgang bei der beobachteten Handlung zu erwarten ist. Spiegelneurone machen also, indem sie in Resonanz treten und mitschwingen, beobachtete Handlungen für unser eigenes Erleben nicht nur spontan verständlich. *Spiegelneurone können beobachtete Teile einer Szene zu einer wahrscheinlich zu erwartenden Gesamtsequenz ergänzen.* Die Programme, die Handlungsneurone gespeichert haben, sind nicht frei erfunden, sondern typische Sequenzen, die auf der Gesamtheit aller bisher vom jeweiligen Individuum gemachten Erfahrungen basieren. Da die allermeisten dieser Sequenzen der Erfahrung aller Mitglieder einer sozialen Gemeinschaft entsprechen, bilden die Handlungsneurone einen gemeinsamen intersubjektiven Handlungs- und Bedeutungsraum (siehe dazu Kapitel 7).

Intuitive Ahnungen können in einem Menschen entstehen, auch ohne das Bewusstsein zu erreichen. Man hat zum Beispiel nur ein ungutes Gefühl, weiß aber nicht, warum. Dies liegt unter anderem daran, dass es subliminale, also nicht bewusst registrierte Wahrnehmungen sein können, die in uns Spiegelneurone aktivieren. Die Fähigkeit, ein Gefühl dafür zu entwickeln, was andere tun, ist bei Menschen allerdings unterschiedlich ausgeprägt.

Wie wichtig das intuitive Verständnis der Bewegungen anderer sein kann, zeigt sich etwa bei Mannschaftsspielen. Im Fußballsport gibt es immer wieder Mannschaften, die nur über wenige Stars verfügen und trotzdem in der Lage sind, ein Starteam zu schlagen. Ihr Geheimnis ist, dass sich alle Spieler viel bewegen (Fußballexperten nennen das »Verschieben«) und bei der Ballabgabe intuitiv wissen, wohin die Laufwege ihrer Mitspieler gehen werden. Geniale Trainer wie Volker Finke gehörten zu den Ersten, die dies Anfang der neunziger Jahre – intuitiv – erkannten. Wo das gegenseitige Verständnis für die zu erwartenden Bewegungsabläufe fehlt, helfen auch keine Stars.

Auch vieles, was mysteriösen telepathischen Fähigkeiten zugeschrieben wird, findet hier seine Erklärung. Menschen in enger emotionaler Verbundenheit kennen die »Laufwege« derer, denen sie nahe stehen. So versorgt uns unser Gehirn auch dann, wenn sich ein von uns geliebter Mensch an einem entfernten Ort befindet, mit intuitiven Annahmen darüber, was der oder die andere jetzt wohl gerade tun könnte. Und warum sollte es nicht vorkommen, dass solche in unserer Vorstellung ablaufenden Sequenzen auch einmal einen »Treffer« landen, das heißt genau das spiegelnd in uns ablaufen lassen, was der oder die abwesende andere tatsächlich tut oder fühlt.

Die Fähigkeit zum intuitiven Verstehen, dieses Geschenk unserer Spiegelnervenzellen, schützt uns keineswegs vor Irrtümern. Wahrnehmungen von Szenen können über das neurobiologische Spiegelsystem zur Aktivierung von Programmen führen, die für das Gehirn zwar zunächst wie eine passende Fortsetzung des beobachteten Geschehens aussehen, sich dann aber als Irrtum erweisen. Dies liegt daran, dass viele Alltagsszenen mehrdeutig sind und zu verschiedenen Fortsetzungsgeschichten passen könnten. Bei der unterschiedlichen Interpretation spielen individuelle Vorerfahrungen eine nicht unwesentliche Rolle. Wer zum Beispiel häufig die Erfahrung gemacht hat, dass freundlich erscheinende Menschen plötzlich eine unerwartete unangenehme Seite zeigen, der wird mit seinen Spiegelneuronen anders auf einen freundlichen Menschen reagieren als andere. Wer oft erleben musste, dass viel versprechende Ausgangssituationen am Ende zu einer Enttäuschung geführt haben, bei dem wird sich dies als typische Sequenz auch in seinen neurobiologischen Programmen wiederfinden.[13]

Einseitige, durch bestimmte Vorerfahrungen entstandene Interpretationsschemata sind jedoch nicht der einzige Grund, warum die Intuition irren kann. Leider ist sie auch vor bewussten Täuschungen nicht geschützt. Intuition ist

---

[13] Solche einseitigen Interpretationsweisen können derart ausgeprägt sein, dass sie den Betroffenen in seinem Alltag beeinträchtigen, seine zwischenmenschlichen Beziehungen beschädigen und krank werden lassen. Hier kann Psychotherapie helfen, das Problem zu klären und neue Erfahrungen in die Wege zu leiten, die dann auch neue neurobiologische Programme entstehen lassen (siehe Kapitel 9).

eben nicht alles. Wo sie versagt, kann und muss der Verstand helfen. Das kritische Nachdenken darüber, was wir bei und mit anderen erleben, behält seinen unentbehrlichen Stellenwert. Allerdings ist andererseits auch die intellektuelle Analyse gegen Fehldeutungen nicht gefeit, wenn es um die Interpretation unserer Wahrnehmung eines anderen Menschen geht. Auf rationaler Basis gewonnene Bewertungen zwischenmenschlicher Belange können uns durchaus in die Irre führen. Ein weiterer Nachteil unseres intellektuell-analytischen Apparates ist seine Langsamkeit. Über jemanden nachzudenken dauert länger als eine intuitive Einschätzung. Spiegelneurone arbeiten spontan und schnell. Was sie abrufen, ist online verfügbar.

Fazit: Intuition und rationale Analyse können sich nicht gegenseitig ersetzen. Beide spielen eine wichtige Rolle und sollten gemeinsam zum Einsatz kommen. Die Wahrscheinlichkeit, dass wir eine Situation richtig bewertet haben, ist am größten, wenn Intuition und kritische Reflexion zu ähnlichen Ergebnissen kommen und einander ergänzen. Die Grenzen sowohl des intuitiven als auch des analytischen Urteils machen die überragende Rolle der Sprache bzw. des klärenden Gesprächs deutlich. Intuition ist ohne Sprache möglich, aber nur die Sprache versetzt uns in die Lage, uns explizit über intuitive Wahrnehmungen zu verständigen (siehe Kapitel 4).

Spiegelneurone bei Stress und Angst

Untersuchungen zeigen, dass Angst, Anspannung und Stress die Signalrate der Spiegelneurone massiv reduzieren. Sobald Druck und Angst erzeugt werden, klinkt sich alles, was vom System der Spiegelneurone abhängt, aus: das Vermögen, sich einzufühlen, andere zu verstehen und Feinheiten wahrzunehmen. Bereits hier sei angemerkt, dass dort, wo Angst und Druck herrschen, eine weitere Fähigkeit abnimmt, die von der Arbeit der Spiegelsysteme lebt: die Fähigkeit zu lernen.[14] Stress und Angst sind daher in allen Bereichen, wo Lernvorgänge eine Rolle spielen, kontraproduktiv. Dies betrifft nicht nur den Arbeitsplatz oder die Schule. Auch in schwierigen zwischenmenschlichen Situationen, in Konflikten und Krisen sind Auswege nur dann zu finden, wenn keine Atmosphäre der Angst herrscht. Nur dann sind die Beteiligten in der Lage, neue Aspekte in ihren Erfahrungshorizont aufzunehmen, also dazuzulernen.

Dass Spiegelneurone bei Angst und Stress in ein Leistungstief fallen, hat allerdings noch eine weitere Folge: Intuition ist in solchen Situationen kein guter Ratgeber. Die Hemmung des Spiegelsystems durch Stress dürfte eine Erklärung dafür sein, dass intuitive Reaktionen bei starker Belastung und Panik ausgesprochen irrational ausfallen und die Lage oft noch schlimmer machen, als sie es ohnehin schon ist. Auch hier erweist sich, dass es uns die Intuition nicht ersparen sollte, von unserem Verstand nützlichen Gebrauch zu machen.

---

[14] Zum Zusammenhang zwischen Spiegelneuronen und Lernen siehe Kapitel 8.

Handlungssteuernde Nervenzellen unserer prämotorischen Hirnrinde reagieren mit einer Resonanz, wenn wir die Handlung eines anderen beobachten. Daher liegt die Frage nahe, ob Spiegelneurone Einfluss auf unser Verhalten haben. Wie bereits erwähnt, zeigen Experimente, dass jede ausgeführte willentliche Tat mit einer Aktivierung der Handlungsneurone beginnt, die den Plan bzw. das Konzept für die Ausführung der jeweils beabsichtigten Handlung im Programm haben. Erst kurz danach, etwa ein bis zwei Zehntel einer Sekunde später, kommt es zur Aktivierung der die entsprechenden Muskeln kontrollierenden Bewegungsneurone.[15] Doch nicht jede Aktivität einer Handlungsnervenzelle führt zur Realisierung einer Tat. Das Handlungsneuron kann feuern, ohne die Handlung auszuführen, es also beim *Handlungsgedanken*, bei der *Vorstellung einer Aktion* bewenden lassen. Dies ist das Mindeste, was die Beobachtung oder das Miterleben der Handlungen anderer Personen in jedem Fall auslöst. Etwas Weiteres kommt allerdings noch hinzu: Handelt es sich bei einer beobachteten Aktion um ein Geschehen, das dem Beobachter bisher noch nie begegnet ist, zum Beispiel um eine Tat von bisher nicht erlebter Brutalität, dann wird sie als weiteres – potenzielles – Handlungsprogramm in den Bestand der handlungs-

---

[15] Wir hatten die handlungssteuernden Nervenzellen der prämotorischen Hirnrinde als *Handlungsneurone* vom Typ Asterix bezeichnet (Asterix definiert die Handlungsziele und heckt die Pläne aus). Die Neurone der motorischen Hirnrinde, die das direkte Kommando über die einzelnen Muskeln haben, hatten wir *Bewegungsneurone* vom Typ Obelix genannt (Obelix schlägt zu).

steuernden Nervenzellen aufgenommen.[16] Ihrer Art nach völlig ungewohnte, neu ins Leben getretene, dem betroffenen Menschen bisher nicht bekannte Handlungssequenzen werden sogar besonders intensiv abgespeichert: Eine Handlung, die wir zum ersten Mal wahrnehmen oder miterleben, sei es etwas Liebevolles oder etwas Fürchterliches, hinterlässt in uns besonders intensive *Vorstellungen von ihr*.

Was Eingang in das Repertoire unserer potenziellen Handlungsprogramme gefunden hat, steht zur Verfügung, *muss* aber nicht zur Anwendung kommen. Anders als beim Kleinkind, dessen Spiegelsysteme eine starke Tendenz haben, Gesehenes spontan gleich selbst zu machen, sind beim Erwachsenen hemmende neurobiologische Systeme aktiv, deren Reifung etwa im dritten Lebensjahr beginnt und zumeist nach der Pubertät abgeschlossen ist.[17] Danach müssen erst weitere, im Bereich der Motivation liegende Faktoren hinzukommen, um die eingebaute Hemmung zu lösen und eine Handlung tatsächlich abzurufen. Dass eine Handlungssequenz überhaupt Eingang in die persönlichen Aktionsprogramme gefunden hat, stellt allerdings ein Basisrisiko dar, weil sie für den Betroffenen von diesem Zeitpunkt an prinzipiell vorstellbar ist. Wenn zum Beispiel eine brutale, bisher mit einem Tabu belegte Handlung miterlebt wurde, ist dieses Basisrisiko alles andere als belanglos, vor allem bei Personen, deren soziale Lebensumstände oder be-

---

[16] Dabei spielt es keine Rolle, ob eine solche Tat »nur« beobachtet oder sogar selbst erlitten wurde. In beiden Fällen geht sie in die Sammlung der Handlungsprogramme der prämotorischen Hirnrinde ein.

[17] Diese hemmenden Systeme befinden sich im vorderen Teil des Frontalhirns. Kapitel 3 behandelt die Situation beim Kind, und Kapitel 11 geht auf die Frage des freien Willens beim Erwachsenen ein.

rufliche Situation eine Versuchung erzeugen könnten, auf ein solches Extremrepertoire vielleicht auch selbst einmal zurückzugreifen.[18]

Interessant ist, dass Katastrophen, die nicht durch Menschenhand, sondern durch technische Vorgänge oder durch die Natur verursacht wurden, offenbar keinen Eingang in die Programme der handlungssteuernden Nervenzellen finden: Experimente zeigen sowohl beim Affen als auch beim Menschen, dass die Spiegelneurone der prämotorischen Hirnrinde sich nur dann angesprochen fühlen, wenn *ein biologischer Akteur, also eine lebende handelnde Person* beobachtet wird (in Einzelfällen kann der »biologische Akteur« auch zu einer nahe stehenden anderen Spezies gehören). Weder eine Greifzange noch eine virtuelle Hand vermochten mit ihren Aktionen die Spiegelsysteme eines Beobachters anzuregen. Davon, dass Kinder und Jugendliche in den Nachrichten natürliche oder technische Katastrophen beobachten, sind also keine modellbildenden Effekte zu erwarten. Dagegen können, wie sich zeigen ließ, Darstellungen von Handlungen lebender Personen in Medien wie Film oder Fernsehen das System der Spiegelneurone erreichen und zur Resonanz bringen. Eine Resonanz erzeugen auch Videofilme und moderne PC-Spiele, deren virtuelle Welten von der Realität praktisch nicht mehr zu unterscheiden sind.

Auch wenn Spiegelneurone, die durch die Beobachtung einer Handlung angeregt wurden, diese keineswegs zwingend auslösen, so bleibt doch die Frage, ob die Beobach-

---

[18] Dies betrifft zum Beispiel Jugendliche in bestimmten sozialen Milieus, aber auch bestimmte Berufe, in denen Menschen mit Wehrlosen zu tun haben: Soldaten, Gefängniswärter, Polizisten ebenso wie Ärzte, Kranken- und Altenpflegepersonal, Pädagogen etc.

tung einer Handlung, insbesondere die *häufige* Beobachtung, die *Wahrscheinlichkeit* erhöht, dass der Beobachter sie selbst ausführen wird. Wissenschaftliche Untersuchungen lassen dies als wahrscheinlich erscheinen. So konnte in Experimenten mit unterschiedlichen Methoden übereinstimmend gezeigt werden, dass die neurobiologische Handlungsschwelle sinkt, wenn Testpersonen eine Aktion beobachten, die sie mit der Hand zugleich selbst ausführen sollen.[19] Ein weiterer Hinweis in diese Richtung: Untersuchungen belegen, dass Spiegelneurone eine entscheidende Rolle spielen, wenn Menschen Aktionen imitieren, das heißt, wenn eine Testperson Handlungen, die ihr von einer anderen Person vorgeführt werden, simultan selbst vollziehen soll. Solche Imitationshandlungen gehen mit einer massiven Aktivierung der Netzwerke der prämotorischen Spiegelneurone einher. Umgekehrt zeigte sich: Wenn man diese Netzwerke kurzfristig lahm legt[20], dann ist die betreffende Person nicht mehr in der Lage, mit der Hand auszuführende Handlungen zu imitieren, die man ihr vormacht. Gleichzeitig bleibt aber die Fähigkeit, die Hand in dieser Situation zu bewegen, unbeeinträchtigt.

Als Fazit aus den vorliegenden Untersuchungsergebnissen lässt sich also ableiten, dass die Beobachtung von Handlungen anderer Personen im Beobachter nicht nur ein inneres Mitreaktions- bzw. Simulationsprogramm zum Schwingen bringt, sondern dass diese Resonanz der Spiegelneurone auch Handlungsbereitschaften in ihm bahnt.

---

[19] Hari und Kollegen, Proceedings of the National Academy of Sciences, Band 95, S. 15061 ff. (1998).

[20] Eine solche kurze experimentelle Ausschaltung ist möglich, indem man eine kleine, aber starke Magnetspule exakt über jene Stelle des Schädels hält, unter der sich die Spiegelneurone befinden.

Dies hat weit reichende Konsequenzen, insbesondere im Hinblick auf Kinder und Jugendliche (siehe Kapitel 3 und 8). Einerseits spielt der Aufbau eigener Handlungsschemata durch Beobachtung und Imitation eine entscheidende positive Rolle für die Entwicklung des Kindes. Andererseits ist nicht auszuschließen, dass hochproblematische Inputs, wie sie von einer immer rücksichtsloseren und profitgierigeren Medienindustrie angeboten werden, zur Übernahme in das eigene Verhalten führen.

Menschen fühlen, während sie handeln

Handlungen sind kein Selbstzweck, sondern stehen, entweder direkt oder über Zwischenschritte, immer im Zusammenhang mit Bedürfnissen und Lebensbedingungen der Akteure. Akteure einer Handlung müssen nicht nur abschätzen, ob ihnen das *Ergebnis* ihrer Handlung dient, sondern auch, ob sie eine Aktion ausführen können, ohne *während* der Ausführung Schaden zu nehmen. Dies bedeutet, und das wird häufig vergessen, dass eine Handlung einerseits aus dem operativen Vorgang und der Ausrichtung auf ein angestrebtes Ziel, andererseits aber auch daraus besteht, was sie im Moment des Vollzugs für den biologischen Akteur bedeutet. Während wir dies im Arbeitsalltag und auch sonst im zwischenmenschlichen Umgang nur zu oft nicht berücksichtigen, scheint das Gehirn von Strategien, die das Befinden der Akteure außer Acht lassen, wenig zu halten. Die Frage, worin die empfindungsmäßigen Konsequenzen einer motorischen Aktion bestünden, ist für das Gehirn ein zentraler Punkt der Handlungsplanung. Jedes Mal, wenn eine Handlung geplant oder realisiert wird, treten im Gehirn Nervenzellnetze in Aktion, die registrieren, wie sich ihre Umsetzung in die Tat körperlich anfühlen würde.

Dort allerdings, wo die motorische Seite von Handlungen geplant und ausgeführt wird, in den Neuronennetzen der prämotorischen und motorischen Hirnrinde, taucht der Aspekt der Eigenbefindlichkeit nicht auf, weshalb wir uns in den direkt hinter ihnen liegenden Abschnitt begeben müssen. Eine Orientierung, welche das Verständnis der nachfolgenden Hinweise erleichtert, bieten die beiden Abbildungen auf den Seiten 19 und 52).

Die Wahrnehmung der Eigenbefindlichkeit des Körpers nennen Neurologen *Propriozeption*[21]. Nervenzellen der Hirnrinde, die Signale der fünf Sinnesorgane aufnehmen, werden als *sensorisch* bezeichnet. Die Areale der Hirnrinde, deren Spezialität darin besteht, die Befindlichkeit der Haut, des darunter liegenden Bindegewebes und der Muskulatur wahrzunehmen, heißen *sensible* oder auch *somatosensible* Rindengebiete. Auf der Landkarte der Gehirnrinde befinden sie sich *hinter* den Nervenzellzentren der bewegungssteuernden motorischen Hirnrinde.[22] Sie registrieren unter anderem Berührung, Druck, Dehnung, Temperatur und Verletzungen jeder Art. Da die sensible Hirnrinde über Nervenbahnen mit weiteren Hirnregionen in Verbindung steht, hat sie auch Zugang zu Informationen über das allgemeine

---

[21] Lateinisch: proprius = eigen, capio = erfassen, aufnehmen.

[22] Die motorische Hirnrinde befindet sich *vor* der großen Querfurche (Sulcus centralis genannt), die sensible Hirnrinde *dahinter*. Im Unterschied zum motorischen Gebiet, das zur frontalen Hirnrinde (= frontaler Cortex oder Frontallappen) gehört, befinden sich die sensiblen Nervenzellnetze auf der parietalen Hirnrinde (= parietaler Cortex oder Scheitellappen).

Körpergefühl und zur Welt der Emotionen.[23] Ähnlich wie bei der motorischen Hirnrinde gibt es auch bei der sensiblen Hirnrinde Netzwerke unterschiedlicher »Intelligenz«. Die »weniger intelligenten« sensiblen Nervenzellen registrieren nur das, *was* die Haut, das Bindegewebe oder die Muskulatur spürt und *wo* es gespürt wird. Man könnte sie als *Reiz- und Berührungsmelder* bezeichnen. Sie sitzen in der *primären sensiblen Hirnrinde*. Sensible Nervenzellnetze, die »intelligentere Aufgaben« übernehmen können, befinden sich dahinter und hier wiederum in einem unteren Bereich, nämlich in der so genannten *inferioren parietalen Hirnrinde*. Sie sind in der Lage, eine Abfolge von Empfindungen zu speichern und intuitive Vorstellungen darüber zu entwerfen, wie sich bestimmte Aktionen anfühlen würden.[24] Im Gegensatz zu den *Reiz- und Berührungsmeldern* könnte man die »intelligenteren« Zellen als *Nervenzellen für die Vorstellung von Empfindungen* bezeichnen.

Zusammengefasst ergibt sich damit das folgende Bild: Die Handlungsneurone der prämotorischen Hirnrinde kodieren die Programme für das operative Vorgehen und für das Ziel einer Handlung. Die Nervenzellen für die Vorstellung von Empfindungen ergänzen dies durch Informationen darüber, wie sich die geplante Handlung für den handelnden Körper anfühlen würde. Erst die Kombination des handelnden und des empfindenden Systems ergibt die neu-

---

[23] Die Netzwerke für das allgemeine Körpergefühl, vor allem für die inneren Organe, befinden sich im Gehirn in der Insula. Das neurobiologische Korrelat der Gefühle befindet sich im Mandelkern und im Gyrus cinguli.
[24] Diese Zellen kodieren intuitive, sofort verfügbare Vorstellungen darüber, ob bei einer bestimmten Handlung zum Beispiel eine Verstauchung, Muskelzerrung oder Gelenkverletzung drohen würde.

ronale Basis für die Vorstellung, Planung und Ausführung von Aktionen.

Dass das Gehirn immer auch fühlt, wenn Handlungen geplant oder ausgeführt werden, lässt sich mit modernen Untersuchungsverfahren nachweisen[25], die aufzeichnen, welche Nervenzellnetze bei bestimmten Gedanken, Handlungen oder Gefühlen aktiv sind. Es zeigte sich, dass jede avisierte Handlung nicht nur bewegungssteuernde Nervenzellen aktiviert, sondern simultan auch die sensiblen Netzwerke, die das eigene Körperbefinden registrieren. Genau wie bei Handlungsneuronen der prämotorischen Hirnrinde ist auch die Aktivierung der Nervenzellen für die Vorstellung von Empfindungen ein implizites, das heißt automatisch ablaufendes, spontanes Geschehen, das keine bewussten Überlegungen erfordert. Was die sensiblen Systeme für die Handlungsplanung an Informationen beisteuern, ist der Grund dafür, dass wir uns im Alltag *intuitiv* nur auf solche Bewegungen und Handlungen einlassen, die wir uns körperlich auch zumuten können, ohne hinterher ein orthopädischer Notfall zu sein. Doch auch hier gilt, was bereits an früherer Stelle über die Beziehung zwischen Intuition und analytischer Ratio gesagt wurde: Die intuitive Abschätzung kann irren, weshalb wir in der Regel zusätzlich reflektieren, wie wir eine Handlung ausführen könnten und ob wir ihr körperlich gewachsen sind. Wie bei der motorischen Handlungsplanung dürfte es auch bei der Abschätzung des Körper-Eigengefühls, das heißt der propriozeptiven Aspekte einer Handlung, am ehesten zu einer erfolgreichen Aktion kommen, wenn sich die intuitive und die kritisch-analytische Beurteilung gegenseitig ergänzen.

---

[25] Es handelt sich um die bereits erwähnte funktionelle Kernspintomographie (f-NMR) und die Positronen-Emissions-Tomographie (PET).

Spiegelneurone des Körperempfindens:
Ich spüre, was du spürst

Die Aufgaben von Nervenzellen der sensiblen Hirnrinde, die Vorstellungen von Empfindungen gespeichert haben, beschränken sich nicht darauf, uns im Fall einer selbst ausgeführten Handlung Auskunft über die dabei zu erwartenden körperlichen Empfindungen zu geben. Eine Serie von Studien mit modernen bildgebenden Untersuchungsverfahren zeigt: Nervenzellen für die Vorstellung von Empfindungen feuern nicht nur, wenn wir selbst eine Handlung planen oder ausführen. Sie verhalten sich wie Spiegelneurone und treten auch dann in Aktion, wenn wir nur *beobachten*, wie eine andere Person handelt oder auch nur etwas empfindet. Nervenzellen der inferioren parietalen Hirnrinde, die für die Vorstellung von Empfindungen zuständig sind, können uns also auch Auskunft darüber geben, wie sich eine von uns beobachtete Person fühlt. Wachgerufen werden in uns dabei genau jene Nervenzellen für die Vorstellung von Empfindungen, die in Aktion getreten wären, wenn wir uns selbst in der Situation befunden hätten, in der wir die Person beobachten.

Die Spiegelaktivität von Nervenzellen für die Vorstellung von Empfindungen erzeugt im Beobachter ein intuitives, unmittelbares *Verstehen* der Empfindungen der wahrgenommenen Person. Hinzu kommt eine Analogie zum Spiegelverhalten der Handlungsneurone, die auch dann, wenn lediglich ein Teil einer Handlungssequenz wahrgenommen werden kann, eine Vorstellung vom gesamten Ablauf einer Handlungssequenz produzieren. Solche Vorhersagen sind auch für die Entwicklung von Gefühlen möglich. Bereits ein kurzer Eindruck von einer Person kann ausreichen, um eine intuitive Ahnung zu erzeugen, wie die körperlichen Empfindungen der beobachteten Person im kurzfristigen weiteren Verlauf aussehen werden. Personen, die wir in unserer Umgebung erleben, erzeugen in uns also nicht nur intuitive Vorstellungen über ihre Handlungsabsichten, sondern setzen in uns, den Beobachtern, immer auch ein Programm in Gang, das die Frage prüft: »Wie würde sich das jetzt und im weiteren Geschehen anfühlen?« Dies geschieht automatisch, es ist ein *implizit* ablaufender, präreflexiver Vorgang, der keiner willentlichen Anstrengung und keines bewussten Nachdenkens bedarf. Das Ergebnis ist eine intuitive Wahrnehmung, wie sich ein von uns beobachteter Mensch aller Wahrscheinlichkeit nach gerade fühlt.

Die neurobiologische Resonanz, die wir in der Gegenwart anderer, von uns wahrgenommener Menschen erleben, beschränkt sich nicht auf die motorische und sensible Dimension. Spiegelungsvorgänge beziehen auch Wahrnehmungen unserer inneren Organe und das emotionale Befinden mit ein. Im Rahmen einer kürzlich durchgeführten Studie spielte man Testpersonen Videoaufnahmen von Menschen vor, denen eine übel riechende Substanz unter die Nase gehalten wurde und die daraufhin in ihrem Gesichtsausdruck sowie mit der gesamten Körpersprache eine deutlich sichtbare Ekelreaktion zeigten. Eine Analyse der Hirnaktivität der beobachtenden Testpersonen, die selbst keinem Geruch ausgesetzt waren, zeigte eine massive Aktivierung des Ekelzentrums, ähnlich wie sie bei einer selbst erlebten Ekelreaktion zu erwarten gewesen wäre.[26] Dazu

---

[26] Bei dieser Studie (siehe Bruno Wicker und Kollegen) wurde die funktionelle Kernspintomographie (f-NMR) eingesetzt. Bei der aktivierten Gehirnregion handelte es sich um die so genannte Insula, auf der sich eine Art neurobiologische Körperkarte der inneren Or-

passt eine weitere Beobachtung: Personen, deren Ekelzentrum durch einen Schlaganfall geschädigt wurde, können nicht nur selbst keinen Ekel mehr empfinden. Sie sind zusätzlich auch nicht mehr fähig, Ekelgefühle im Ausdruck eines anderen Menschen zu erkennen. Ein schlagender Beweis dafür, dass die Spiegelsysteme die entscheidende neurobiologische Grundlage unserer Fähigkeit sind, spontan zu erkennen, was in einem anderen Menschen vorgeht. Doch was die Spiegelneurone leisten, geht darüber noch hinaus: Sie sind, wie die Studie zum Ekel zeigte, bis zu einem gewissen Grad in der Lage, in uns jene Zustände zu erzeugen, die wir bei einer anderen Person wahrnehmen. Dies erklärt, warum die Gegenwart eines anderen Menschen, zumal wenn er uns nahe steht, manchmal dazu führen kann, dass wir unterschiedliche, teilweise massive Veränderungen unseres körperlichen Befindens erleben.

Spiegelneurone für Schmerz, Mitgefühl und Empathie

Die *emotionale* Seite des Schmerzes und das, was uns beim Schmerz tief unter die Haut geht, wird durch Nervenzellen registriert, die sich in einem Hirnareal befinden, in dem sich unser emotionaler Grundzustand und unser Lebensgefühl formen. Dieses Areal trägt die Bezeichnung *Gyrus cin-*

---

gane befindet. Die Insula vermittelt dem Gehirn bzw. der Seele, wie sich die inneren Organe des Körpers fühlen. Die Insula steht über Nervenbahnen in engster Verbindung zu den Nervenzellen für die Vorstellung von körperlichen Empfindungen in der inferioren parietalen Hirnrinde.

guli[27]. In einer genialen Untersuchung gelang es William Hutchison, einzelne Nervenzellen des Gyrus cinguli zu identifizieren, die feuerten und nur dann feuerten, wenn der Testperson an einer bestimmten Fingerkuppe Schmerz zugefügt wurde, indem man sie dort mit einer Lanzette pikste.[28] Nachdem man die Zellen, die spezifisch auf diesen Schmerz reagierten, sicher identifiziert hatte, bat man die Testperson zuzuschauen, wie sich der Untersuchungsleiter selbst in eine Fingerkuppe stach. Beim Patienten feuerten dieselben Nervenzellen, die auch beim Erleben des eigenen Schmerzes gefeuert hatten. Da der Gyrus cinguli das zentrale Emotionszentrum des Gehirns darstellt, sind die Spiegelneurone, die hier entdeckt worden waren, nicht mehr und nicht weniger als ein Nervenzellsystem für Mitgefühl und Empathie.

Hutchisons Beobachtungen wurden in Untersuchungen, die sich anderer Vorgehensweisen bedienten, voll bestätigt: Bei Personen, die zusahen, wie ihren Partnern Schmerzen an der Hand zugefügt wurden, kam es, wie Tanja Singer und ihre Kollegen durch funktionelle Kernspintomographie zeigen konnten, zu einer Aktivierung im Emotionszentrum des Gyrus cinguli und in verschiedenen weiteren

[27] Lateinisch für Gürtelwindung. Der Gyrus cinguli verläuft von vorn nach hinten, beiderseits tief in der Längsfurche des Gehirns. Über Nervenbahnen steht er in einer sehr engen Verbindung zu den Nervenzellen für die Vorstellung von körperlichen Empfindungen in der inferioren parietalen Hirnrinde.

[28] Diese Untersuchung wurde mit einem Patienten durchgeführt, der sich wegen einer epileptischen Erkrankung einer Gehirnoperation unterziehen musste. Da das Gehirn selbst nicht schmerzempfindlich ist, können, wenn die Kopfhaut örtlich betäubt wird, gehirnchirurgische Patienten wach liegen. Der Patient und die Ethik-Kommission hatten der Untersuchung vorher zugestimmt.

Schmerzzentren.[29] Es zeigte sich also auch hier eine Reaktion, als hätte die Versuchsperson die beim Partner beobachteten Schmerzen selbst erlebt. Auch in den Schmerzzentren des Gehirns sind somit Spiegelneurone beheimatet, die uns den Schmerz eines anderen direkt nachvollziehen lassen. Ebenso kommt es bei den Spiegelneuronen des Schmerzes und des Mitgefühls zum Phänomen der intuitiven Vorausahnung: Um im Gehirn des Beobachters Spiegelneurone zum Feuern zu bringen, muss nicht unbedingt ein *bereits eingetretener* Schmerz wahrgenommen werden. Es reicht schon aus, eine Situation zu erleben, die im nächsten Moment Schmerz *erwarten* lässt, um eine Resonanzreaktion im eigenen Schmerzgefühl auszulösen.[30]

Das Geheimnis der sympathischen Ausstrahlung

Die Fähigkeit, Empathie und Mitgefühl so auszudrücken, dass sie von anderen als angemessen empfunden wird, scheint eines der Geheimnisse einer sympathischen Ausstrahlung zu sein. In sich selbst Spiegelungen anderer Menschen zuzulassen, sich durch ihre Ansichten und Empfindungen berühren zu lassen, scheint mit Sympathie belohnt zu werden. Studien zeigen, dass wir vor allem für solche

---

[29] Schmerz wird im Gehirn in mehreren Zentren registriert (Thalamus, Insula, sensible Hirnrinde, Gyrus cinguli). Zusammengenommen werden sie als »Schmerzmatrix« (englisch: »pain matrix«) bezeichnet.

[30] Dass Schmerz registrierende Nervenzellen nicht erst nach dem Eintreten von Schmerzen, sondern bereits auf die Antizipation, also auf die Erwartung von Schmerz reagieren, wurde durch Tor Wager und Kollegen in einer im Jahre 2004 veröffentlichten Studie gezeigt.

Personen Sympathie empfinden, die ihrerseits adäquat spiegeln können.[31] Dabei bewerten wir unter anderem, ob wir Mimik und Körpersprache von Menschen als kongruent, also passend zu einer gegebenen äußeren Situation erleben. Personen, die eine traurige Filmszene mit fröhlicher Miene nacherzählen, erhalten von außen stehenden Beobachtern negative Sympathiewerte, während Menschen, die Anteil nehmen können und deren körpersprachlicher Ausdruck mit der jeweiligen Situation, in der sie sich befinden, übereinstimmt, Sympathiepunkte sammeln.

Zwei einschränkende Aspekte sind hier bedeutsam: Eine Sympathie erzeugende Übereinstimmung zwischen einer gegebenen Situation und der in dieser Situation gezeigten Körpersprache lässt sich nicht bewusst planen oder willentlich herstellen. Der Sympathieeffekt überträgt sich nur, wenn die Person spontan und authentisch ist, das heißt, wenn ihr Ausdruck in Einklang mit ihrer tatsächlichen inneren Stimmung steht. Der zweite, vielleicht noch interessantere Aspekt liegt darin, dass der Effekt der positiven Ausstrahlung zusammenbricht, wenn die Anteil nehmende Person im Mitgefühl vollständig aufgeht. Wenn jede Distanz verloren geht, geht auch die Fähigkeit verloren, hilfreich zu sein.[32]

---

[31] Eine Reihe bedeutender Untersuchungen zu neurobiologischen Korrelaten der Empathie stammt von Jean Decety, einem brillanten französischen Hirnforscher, der seit einiger Zeit in Seattle (USA) tätig ist.

[32] Ein Vater, der sein kleines Kind in einen Fluss fallen sähe und dann lediglich ergriffen in lautes Schluchzen ausbräche, würde keine Sympathiepunkte sammeln. Sein Mitgefühl muss also richtig dosiert sein, und zwar so, dass adäquate Handlungen stattfinden können.

Die Gabe, sich vorzustellen, was andere denken (die »Theory of Mind«)

An vieles, von dem wir permanent Gebrauch machen, haben wir uns so gewöhnt, dass wir darüber nicht mehr nachdenken. Ebenso verhält es sich mit der Fähigkeit, im Kontakt mit einem anderen Menschen innerhalb kürzester Zeit einen Eindruck zu gewinnen, was ihn bewegt, was er will und worauf es ihm im Moment ankommt. Schnell zu erfassen, was in einem anderen Menschen vorgeht, wird, wie schon erwähnt, in der Fachsprache als das Vermögen bezeichnet, sich eine »Theory of Mind« zu bilden. Der Eindruck von inneren Beweggründen anderer fließt uns völlig spontan zu, er ist intuitiv da, hat sich bereits eingestellt, bevor wir anfangen, ihn bewusst zu reflektieren: Er ist präreflexiv. Ob es sich um einen »richtigen« Eindruck handelt, ist – dies mag überraschend klingen – nicht so wichtig, wie wir meinen. Viel wichtiger für das Gelingen des zwischenmenschlichen Kontakts ist, dass es *überhaupt* zu einem intuitiven Eindruck vom Gegenüber kommt, sodass eine spontane Kommunikation beginnen kann. Eine Schwierigkeit ergibt sich erst dann, wenn uns die Fähigkeit verlässt, eine »Theory of Mind« über unser Gegenüber zu bilden.

Da es gar nicht so wenige Menschen gibt, die in dieser Hinsicht ein ernstes Problem haben (siehe Kapitel 3 und 9), beschäftigen sich Neurobiologen, Psychotherapeuten und Mediziner schon seit längerem mit der Frage, woher das Vermögen, eine »Theory of Mind« zu entwickeln, eigentlich kommt. Mit der Entdeckung der Spiegelneurone sind wir bei der Antwort auf diese Frage angekommen. Das System der Spiegelneurone stellt uns die neurobiologische Basis für das gegenseitige emotionale Verstehen zur Verfügung. Wenn wir die Gefühle eines anderen Menschen miterleben, werden in uns selbst Nervenzellnetze in Resonanz versetzt, also zum Schwingen gebracht, welche die Gefühle des anderen in unserem eigenen seelischen Erleben auftauchen lassen. Die Fähigkeit, Mitgefühl und Empathie zu empfinden, beruht darauf, dass unsere eigenen neuronalen Systeme – in den verschiedenen Emotionszentren des Gehirns – spontan und unwillkürlich in uns jene Gefühle rekonstruieren, die wir bei einem Mitmenschen wahrnehmen. Aus neurobiologischer Sicht besteht aller Grund zu der Annahme, dass kein Apparat und keine biochemische Methode den emotionalen Zustand eines anderen Menschen jemals so erfassen und beeinflussen kann, wie es durch den Menschen selbst möglich ist.

Die Beobachtung anderer Menschen:
Die optische Aufbereitung für das System
der Spiegelneurone

Neurobiologische Resonanzphänomene, wie wir sie kennen gelernt haben, beginnen mit der Wahrnehmung, meist mit der *Beobachtung* dessen, was andere tun oder fühlen. Erst dann kann im Beobachter eine neuronale und psychische Resonanz stattfinden. Wie aber werden die optischen Informationen, die sich aus der Beobachtung anderer Menschen ergeben, so aufbereitet, dass sie für die Spiegelsysteme das richtige Format haben, das heißt als das erkannt werden können, was sie ihrer Bedeutung nach sind? Um uns im Folgenden die Orientierung zu erleichtern, empfiehlt es sich, die Abbildungen auf den Seiten 19 und 52 mit heranzuziehen.

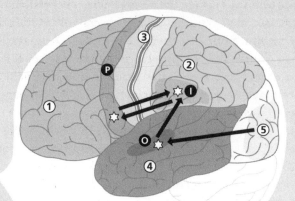

Prämotorische Rinde ❷ im Frontallappen ①:
Im unteren Teil der prämotorischen Rinde wird gespeichert, wie ziel- und zweckgerichtete Handlungen ausgeführt werden können. Die prämotorische Hirnrinde tauscht mit der inferioren Parietalregion Informationen aus (*schwarze Pfeile*).

Inferiore Parietalregion ❶ im Parietallappen ②:
Hier wird gespeichert, wie sich Handlungen anfühlen. Die inferiore Parietalregion tauscht mit der prämotorischen Rinde Informationen aus (*schwarze Pfeile*).

Sulcus centralis (große Querfurche) ③:

STS (= optisches Interpretationssystem) ❶ **im Temporallappen ④:**
Hier werden gesehene Lebewesen interpretiert. Die STS-Region sendet ihre Informationen in die inferiore Parietalregion (*schwarze Pfeile*).

Sehrinde im Occipitallappen ⑤:
Hier werden optische Eindrücke zum gesehenen Bild. Gesehene Lebewesen werden als Kopie in die STS-Region geschickt (*schwarze Pfeile*).

Spiegelneurone ☆

Tatsächlich verfügt das Gehirn über ein *optisches Auf-bereitungs- und Interpretationssystem*, das solche Aufgaben übernimmt. Seine Fähigkeiten übertreffen alles, was noch bis vor kurzem über die Verarbeitung optischer Signale im Gehirn bekannt war. Was unsere Augen wahrnehmen, wird zunächst von der so genannten Sehrinde zu dem gemacht, was wir als Bilder vor uns sehen. Die Nervenzellnetze der Sehrinde befinden sich im Hinterhaupt. Das optische Aufbereitungs- und Interpretationssystem ist ihnen nachgeschaltet, steht aber mit ihnen über Nervenfasern in Verbindung, die von der Sehrinde beiderseits seitlich nach vorn zum Schläfenlappen der Hirnrinde ziehen, wo es seinen Sitz hat. In der englischsprachigen Literatur wird das System nach dem Ort bezeichnet, an dem es sich dort befindet: STS[33]. Die hier aufbereiteten Informationen werden über Nervenfasern weitergeleitet, und zwar zunächst an die Nervenzellen für die Vorstellung von Empfindungen (im inferioren parietalen Cortex) und von dort an die Handlungsneurone (in der prämotorischen Hirnrinde).

Das optische Aufbereitungs- und Interpretationssystem (STS) wurde in den letzten Jahren intensiv erforscht.[34] Es arbeitet nach Art einer Spezialwerkstatt, die alle optischen Informationen, welche die Sehrinde von den Augen erhält, einer extrem schnellen, so gut wie simultan ablaufenden Nachbearbeitung unterzieht. Zunächst prüft das System, ob es überhaupt tätig werden muss: Es schaltet sich *nur*

[33] STS heißt Sulcus temporalis superior und ist die Lokalisation des optischen Aufbereitungs- und Interpretationssystems innerhalb des Schläfenlappens (Temporalcortex).
[34] Beim Affen waren Untersuchungen an einzelnen Nervenzellen möglich. Beim Menschen wurden die Untersuchungen mit Hilfe moderner bildgebender Verfahren durchgeführt (funktionelle Kernspintomographie, f-NMR, Positronen-Emissions-Tomographie, PET).

dann ein, wenn die Sehrinde Bilder von lebenden, handelnden Akteuren liefert. Sobald eine beobachtete Handlung, die zuvor gerade noch ein Mensch ausgeführt hat, von einem Apparat oder Roboter verrichtet wird, legt es die Arbeit nieder. Der Grund für dieses selektive Engagement ist, dass das optische Aufbereitungs- und Interpretationssystem keine andere Aufgabe hat, als das zu deuten, was auf die Absichten oder Empfindungen anderer Menschen bzw. anderer Lebewesen schließen lässt: Was es auswertet, sind Körperbewegungen, Gesichtsausdruck, Mundbewegungen und – dies gehört zu seinen Hauptbeschäftigungen – die Blicke der anderen.

Warum wir beobachten, was andere beobachten:
Die Spiegelneurone des optischen Interpretations-
systems

Das optische Aufbereitungs- und Interpretationssystem (STS) beschränkt sich nicht darauf, an motorische, sensible oder Emotionen verarbeitende Spiegelzellen Informationen zu liefern, auf Grund deren diese dann in Resonanz treten können, sondern organisiert darüber hinaus eine Spiegelreaktion ganz eigener Art. Es achtet nicht nur auf die Blickbewegungen der Menschen um uns herum, sondern sorgt dafür, dass wir, in einer wiederum spontanen und intuitiven Reaktion, unsere eigenen Blickbewegungen danach ausrichten. Eine der häufigsten Reaktionen besteht darin, dass wir selbst in die Richtung sehen, in die ein anderer gerade blickt. Wenn jemand seinen Blick plötzlich, überrascht oder erschreckt auf etwas richtet, schauen wir impulsiv auch selbst dorthin, und zwar simultan und vor jeglichem Nachdenken. Das spontane Einschwenken auf einen gemeinsamen Aufmerksamkeitsfokus, im Englischen als »joint attention« bezeichnet, ist ein ständiges, fast unwiderstehliches Alltagsphänomen. Es gehört darüber hinaus zu den wichtigsten Voraussetzungen für den Aufbau einer emotionalen Bindung (siehe Kapitel 3 und 6).

Dem hohen Maß an Aufmerksamkeit, das wir mit Hilfe unseres optischen Aufbereitungs- und Interpretationssystems (STS) den Blicken anderer Menschen zukommen lassen, liegt eine fundamentale Erfahrung zu Grunde. Nicht nur Menschen, auch Affen und einige weitere Spezies, zum Beispiel Hunde, wissen: Mehr als aus allen anderen Zeichen der Körpersprache lassen sich aus den Augenbewegungen anderer weit reichende Schlüsse ziehen. Dies gilt nicht nur für die Einschätzung der jeweiligen aktuellen Situation, sondern auch und vor allem im Hin*blick* (!) auf die Gedanken, Intentionen und Handlungsabsichten der uns umgebenden Personen. Untersuchungen am Affen zeigen, dass das optische Aufbereitungs- und Interpretationssystem hoch spezialisierte Nervenzellnetze enthält, deren Aufgabe aus nichts anderem besteht, als bestimmte Blickbewegungen blitzschnell zu erkennen, zu deuten und die Information sofort an andere Hirnregionen weiterzuleiten.

Zusammenfassung

Nervenzellen des Gehirns, die im eigenen Körper einen bestimmten Vorgang, zum Beispiel eine Handlung oder eine Empfindung, steuern können, zugleich aber auch dann aktiv werden, wenn der gleiche Vorgang bei einer anderen Person nur *beobachtet* wird, heißen Spiegelnervenzellen bzw. Spiegelneurone. Ihre Resonanz setzt spontan, unwillkürlich und ohne Nachdenken ein. Spiegelneurone benutzen das neurobiologische Inventar des Beobachters, um ihn in einer Art innerer Simulation spüren zu lassen, was in anderen, die er beobachtet, vorgeht. Die Spiegelresonanz ist die neurobiologische Basis für spontanes, intuitives Verstehen, die Basis dessen, was als »Theory of Mind« bezeichnet wird. Sie ist nicht nur in der Lage, bei der in Beobachterposition befindlichen Person Vorstellungen anzuregen, Gedanken und Gefühle hervorzurufen, sie kann unter bestimmten Voraussetzungen auch den biologischen Körperzustand verändern.

3.

Wie sich das Kind in die Welt spiegelt und das Problem des Autismus

Spiegelzellen zu haben, die tatsächlich spiegeln, gehört zu den wichtigsten Utensilien im Gepäck für die Reise durch das Leben. Ohne Spiegelneurone kein Kontakt, keine Spontaneität und kein emotionales Verstehen. Die genetische Grundausstattung stellt dem Säugling ein Startset von Spiegelneuronen zur Verfügung, die ihm die Fähigkeit verleihen, bereits wenige Tage nach der Geburt mit seinen wichtigsten Bezugspersonen erste Spiegelungsaktionen vorzunehmen. Es ist jedoch von entscheidender Bedeutung, ob ihm die *Chance* gegeben wird, solche Aktionen zu realisieren, denn eine Grundregel unseres Gehirns lautet: »Use it or lose it.« Nervenzellsysteme, die nicht benutzt werden, gehen verloren. Spiegelaktionen entwickeln sich nicht von allein, sie brauchen immer einen Partner.

»Use it or lose it«: Die Spiegelneurone des Säuglings müssen eingespielt werden

Dass wir mit einer angeborenen, genetisch angelegten Grundausstattung von Spiegelnervenzellen ins Lebens starten, zeigt sich an einem Phänomen, das ohne sie nicht möglich wäre: Bei richtig gewähltem Abstand beginnen Säuglinge wenige

Stunden bis Tage nach der Geburt, bestimmte Gesichtsausdrücke, die sie sehen, spontan zu imitieren.[1] Öffnet das ihnen entgegenblickende Gesicht den Mund, tun sie dasselbe. Auf ein Gesicht mit gespitztem Mund reagiert das Neugeborene, indem es selbst die Lippen kräuselt, und es streckt seine Zunge heraus, wenn man ihm dies vormacht. Mit seiner erstaunlichen Fähigkeit zur Imitation hat der Säugling bereits von den ersten Lebenstagen an die Möglichkeit, sich auf ein wechselseitiges Spiel einzulassen, welches dazu führt, dass sich erste zwischenmenschliche Bindungen entwickeln können. Die neurobiologisch angelegte Bereitschaft zu spontanen Imitationsakten ist das Grundgerüst, um das herum sich die Beziehung zwischen Säugling und Bezugsperson entwickelt.

Zwischen dem Neugeborenen und der Hauptbezugsperson[2] beginnt nun etwas, dessen Zauber nur noch mit der Situation von Frischverliebten zu vergleichen ist. Und tatsächlich passiert aus neurobiologischer Sicht in beiden Fällen etwas sehr Ähnliches: ein wechselseitiges Aufnehmen und spiegelndes Zurückgeben von Signalen, ein Abtasten und Erfühlen dessen, was den anderen gerade, im wahrsten Sinne des Wortes, bewegt, begleitet vom Versuch, selbst Signale auszusenden und zu schauen, inwieweit sie vom Gegenüber zurückgespiegelt, das heißt erwidert werden. Dieses Spiel steht nicht nur am Anfang einer Liebesbeziehung, es bildet, in weniger intensiver Form, den Startpunkt jeder zwischenmenschlichen Beziehung.

---

[1] Dazu durchgeführte Untersuchungen stammen von einer Arbeitsgruppe um den Amerikaner Andrew Meltzoff sowie von dem deutschen Forscherpaar Hanus und Mechthild Papousek.

[2] Da die Mutter manchmal selbst nicht zur Verfügung stehen kann und stattdessen der Vater oder andere die Hauptrolle bei der Versorgung spielen, verwende ich hier den Begriff »Hauptbezugsperson«. Ihre optimale »Besetzung« ist zweifellos die Mutter.

Damit das ganze wunderbare Spiegelspiel überhaupt beginnen kann, benötigt der Säugling Bezugspersonen, allerdings nicht irgendein Gegenüber, nicht irgendeine Trainingswand, sondern echte »Mitspieler«, die selbst spiegeln können. Die meisten Kinder haben geeignete Mitspieler: Bezugspersonen mit einer normal entwickelten Fähigkeit, mit Liebe, Sensibilität und Wärme auf den Säugling einzugehen. Die besten Mitspieler sind die Eltern, da sie auf Grund des Geburtserlebnisses von Natur aus mit einer Substanz gedopt sind, die ihre Bindungsfähigkeit erhöht: Oxytocin. Wo Eltern nicht zur Verfügung stehen, können liebevolle Bezugspersonen guten Ersatz bieten. Allerdings müssen sie eine längere Zeit bzw. dauerhaft zur Verfügung stehen, damit sich zwischen ihnen und dem Kind eine Bindung aufbauen kann.

Die genetische Grundausstattung ist alles andere als eine Garantie dafür, dass die biologischen Systeme des Menschen später tatsächlich so funktionieren, wie dies im Prinzip möglich ist. Die angeborenen Spiegelsysteme des Säuglings können sich nur dann entfalten und weiterentwickeln, wenn es zu einem geeigneten und für ihn passenden Beziehungsangebot kommt. Zu den beliebten Irrtümern unserer Zeit gehört die verbreitete Meinung, der wesentliche Schlüssel zum Gelingen unserer Entwicklung sei ausschließlich in den Genen zu suchen. Tatsächlich haben Beziehungserfahrungen und Lebensstile, die immer auch mit einer Aktivierung bestimmter neurobiologischer Systeme einhergehen, einen gewaltigen Einfluss sowohl auf die Regulation der Genaktivität als auch auf Mikrostrukturen unseres Gehirns.[3] Nirgendwo zeigt sich so deutlich wie bei

---

[3] Einen Überblick zu diesem Thema finden Sie in meinem Buch »Das Gedächtnis des Körpers«, Piper, München 2004.

den Spiegelsystemen, welche Bedeutung zwischenmenschliche Beziehungen für die Biologie unseres Körpers haben.

Dass die genetische Ausstattung allein noch keine Garantie für die Entfaltung einer Fähigkeit ist, zeigt sich im Fall der Spiegelneurone etwa am Beispiel von Blinden. Von Geburt an blinde Menschen können mangels visuellen Inputs das frühe mimische Spiegelspiel nicht einüben, obwohl, wie ihre sonstigen Reaktionen erkennen lassen, ihre Spiegelsysteme im Prinzip funktionieren. Auf Grund der fehlenden Einübung bleibt bei den von diesem Schicksal betroffenen Menschen die Entwicklung einer spiegelnden Gesichtsmimik aus. Eigenschaften und Fähigkeiten können sich nur dann entwickeln, wenn die seitens der Gene bereitgestellten biologischen Anlagen durch zwischenmenschliche Beziehungen und soziale Interaktionen angesprochen und in geeigneter Weise aktiviert werden.

Die Imitationskünste des Säuglings sind nicht darauf beschränkt, von den ersten Lebenstagen an Gesichtszüge zu spiegeln. Wenig später ist zu beobachten, wie er erste Anstalten macht, auch stimmliche Äußerungen durch eigene Lautbildungen nachzuahmen. Ebenso zeigt er bald – wenn auch völlig ungerichtete – motorische Resonanzreaktionen, wenn man ihm ausdrucksstarke körperliche Bewegungen vormacht. Wie schon erwähnt, bedienen sich Bezugspersonen unwillkürlich der Bereitschaft des Säuglings zur Imitation: Wenn sie das Kleinkind, mit dem sie Blickkontakt haben, füttern, öffnen sie meistens selbst den Mund, weil sie intuitiv darauf setzen, dass es dann ebenfalls seinen Mund öffnet.

Das Gegenstück zu den Imitationsübungen des Säuglings besteht darin, dass die Mutter und Bezugspersonen ihrerseits eine intuitive Tendenz haben, den Säugling zu imitieren und ihm damit die Signale zurückzuspiegeln, die er selbst aussendet. Dabei reflektieren sie sein Verhalten nicht eins zu eins, sondern in einer erweiterten, um zusätzliche Elemente angereicherten Form, ein Vorgang, der als Markierung bezeichnet wird. Dadurch erhält der Säugling, lange bevor er über so etwas wie Bewusstsein verfügt, Zeichen, die ihm anzeigen, dass er erkannt wurde, und ihn seinerseits zu weiteren Resonanzaktionen stimulieren. Ausgehend von seinen anfangs noch sehr beschränkten Imitationsmöglichkeiten entsteht so ein zunehmendes Spektrum von Kommunikation. Dass Säuglinge bereits zum Zeitpunkt der Geburt über erstaunliche Kompetenzen verfügen, ist seit einigen Jahren bekannt und findet sich in lesenswerten Publikationen, unter anderem von Daniel Stern und Martin Dornes, dargestellt, doch erst die Entdeckung der Spiegelneurone lässt diese Fähigkeiten in vollem Umfang verständlich werden.

Die Basis emotionaler Intelligenz: Das Gefühl von intuitivem Verstanden-Sein

Auf der Basis dessen, was Spiegelneurone bereitstellen, hat der Säugling die Chance, mit seiner Umgebung emotional in Kontakt zu treten, Signale auszutauschen und ein erstes Urgefühl des Sich-Verstehens zu entwickeln. Frühe Spiegelungen sind nicht nur möglich, sie entsprechen beim Neugeborenen einem emotionalen und neurobiologischen Grundbedürfnis. Dies zeigt sich nicht nur an den verzückt-glücklichen Reaktionen – und übrigens auch an markanten Signalen in der Hirnstromkurve (EEG) –, die sich beim Säugling durch zärtliche Imitationen hervorrufen lassen. Geglückte Spiegelungen und das auf dieser Basis entstehende Gefühl der Bindung führen auch zu einem Ausstoß körpereigener Opioide. Dies erklärt nicht nur, warum zwischenmenschliche Zuwendung – wie sich auch in Studien zeigte – Schmerzen erträglicher macht, sondern auch, warum wir neurobiologisch auf Bindung geeicht sind.[4]

Frühe Spiegelungen führen also nicht nur zu seelischem, sondern auch zu körperlichem Glück. Umgekehrt ruft eine absichtlich verweigerte Spiegelung massive Unlustreaktionen hervor. Dies macht ein Experiment deutlich, das in der Fachliteratur als »still face procedure« bezeichnet wird. Die Bezugsperson bringt ihr Gesicht in den richtigen Abstand zum Gesicht des Kindes. Wenn der Erwachsene nun, entgegen seiner eigenen emotionalen Intuition, seine Miene absichtlich völlig regungslos beibehält, dann wendet sich das Kind impulsiv ab. Wird die Prozedur mehrere Male wiederholt, hat dies einen emotionalen Rückzug zur Folge: Die Bereitschaft des Säuglings nimmt ab, nach weiteren Möglichkeiten für mimischen Signalaustausch zu suchen.

Aus Beobachtungen dieser Art darf und muss die Schlussfolgerung gezogen werden, dass Versuche, Neugeborene bzw. Kleinkinder emotionslos, nach rein »rationalen« oder »vernünftigen« Kriterien zu versorgen, verheerende Folgen haben. Sie ruinieren die Fähigkeit des Kindes, mit anderen Menschen in emotionalen Kontakt zu kommen und sich mit ihnen intuitiv verbunden zu fühlen. Das frühe Spiel mit

---

[4] Thomas Insel, seit kurzem Direktor des National Institute of Mental Health (NIMH) in den USA, verfasste zu diesem Thema einen Übersichtsartikel mit dem bewusst ironisch gewählten Titel: »Is social attachment an addictive disorder?« (Ist Bindung eine Suchterkrankung?).

spiegelnden Imitationen schafft die Grundlage dessen, was Daniel Goleman als emotionale Intelligenz beschrieben hat.

Obwohl sich das Neugeborene in den ersten Wochen noch nicht als eigene Person erlebt, erzeugt der frühe spiegelnde Austausch von Zeichen in ihm ein erstes intuitives Grundgefühl sozialer Verbundenheit. Da es zu diesem Zeitpunkt zwischen sich und anderen noch nicht unterscheiden kann, haben Säuglingsforscher diesen frühen kommunikativen Austausch als »intersubjectivity without subjects« bezeichnet, das heißt als zwischenmenschliches Beziehungsgeschehen, ohne dass – in Bezug auf das Kind – bereits von einem handelnden Subjekt gesprochen werden könnte. Ungeachtet dessen entwickelt sich das Grundgefühl, in einer intuitiven Verbindung mit anderen gleichartigen Wesen zu stehen, mit ihnen in einer gemeinsamen emotionalen Welt zu leben. Dieses durch wechselseitige Spiegelungsvorgänge entstehende Gefühl, von Vittorio Gallese[5] als »S-Identity« (für: soziale Identität) bezeichnet, entspricht einem menschlichen Urbedürfnis: Säuglingsforscher fanden heraus, dass Kleinkinder bereits mit zwei Monaten aktiv um eine gefühlsmäßige Abstimmung bzw. Übereinstimmung mit der Mutter bemüht sind. Wie aus trickreichen Experimenten hervorgeht, entwickelt das Kind im dritten Lebensmonat ein Gefühl dafür, dass es mit eigenen Lebensäußerungen bei seinen Bezugspersonen Verhaltensänderungen auslösen kann. Um diesen Zeitpunkt herum beginnt der Säugling auch, seine eigene Aufmerksamkeit nach der Blickrichtung und damit nach der Aufmerksamkeit der Erwachsenen aus-

---

[5] Vittorio Gallese ist einer der leitenden Mitarbeiter am Institut von Giacomo Rizzolatti.

zurichten. Dieses erste Zeichen einer »joint attention«[6], eines spiegelnden Einschwingens auf ein gemeinsames Aufmerksamkeitsziel, ist ein weiteres Beispiel dafür, wie sehr das Kleinkind darauf ausgerichtet ist, sich mit seinen Bezugspersonen intuitiv abzustimmen. Erste Ansätze von emotionaler Intelligenz werden jetzt erkennbar.

Die Bedeutung des kindlichen Spiels für die Entwicklung der Spiegelsysteme

Mit etwa sechs Monaten beginnen Kleinkinder den Ablauf und das Ziel von Bewegungssequenzen zu speichern. Dies zeigt sich zum Beispiel daran, dass das Kind in diesem Alter erstmals das Erscheinen eines Balls, der hinter die eine Seite einer Sichtblende gerollt wurde, an der anderen Seite erwartet. Dies ist eine wichtige Voraussetzung dafür, dass es einige Zeit später auch Handlungssequenzen einschließlich ihres Endzustands speichern kann. Um den neunten Monat herum ist das Kind fähig, Objekte oder Bezugspersonen in dem Wissen zu repräsentieren, dass sie auch dann weiter existieren, wenn sie nicht zu sehen sind. Diese so genannte Objektkonstanz zeigt sich nicht nur in der Beziehung des Kindes zur Bezugsperson, sondern auch daran, dass es dazu übergeht, zum Beispiel einen Ball, der in ein Tuch gewickelt wurde, wieder auszupacken, weil es – anders als zuvor – jetzt weiß, dass der Ball, obwohl nicht sichtbar, weiterhin vorhanden ist. Auf diesem bedeutsamen Entwicklungsschritt, nämlich eine innere Vorstellung vom Fortbestehen

---

[6] Die »joint attention« habe ich bereits im zweiten Kapitel angesprochen.

nicht sichtbarer Objekte zu haben, baut die Fähigkeit auf, auch Vorstellungen von nicht sichtbaren Abschnitten einer Handlungssequenz zu entwickeln. Mit etwa zwölf bis vierzehn Monaten ist das Kind in der Lage, die Ziele und Absichten von Handlungen, die es beobachtet, vorauszusehen und insoweit zu verstehen. Schrittweise erweitern sich damit auch die Möglichkeiten des Spiegelsystems.

Das Kind entwirft sein Bild der Welt als eine Ansammlung von Handlungsmöglichkeiten. Interaktionen, Handeln und Fühlen sind jedoch nicht nur der Stoff, aus dem die äußere Welt konstruiert wird, sondern auch die Basis für Vorstellungen vom eigenen Selbst. Die Erkenntnis, dass es eine Unterscheidung zwischen Selbst und anderen gibt, bildet sich zwischen dem zwölften und achtzehnten Lebensmonat. Um diese Zeit herum kommt zum bereits vorhandenen intuitiven Gefühl der sozialen Identität (»S-Identity«: Ich gehöre zur Welt der anderen) nun die Wahrnehmung einer eigenen Identität als Individuum hinzu (»I-Identity«: Ich bin anders als die anderen). Nicht nur, um ein Bild der Welt zu entwerfen, sondern auch, um sich selbst zu definieren, muss sich das kindliche Gehirn also auf abgespeicherte Programme beziehen können, die *erlebte* Aktions- und Interaktionssequenzen beschreiben.

Zu erlebtem Handeln und Fühlen kommt es jedoch nicht von allein. Wie schon beim frühen Austausch von spiegelnden Imitationen kurz nach der Geburt ist das Kind auch später darauf angewiesen, feste Bezugspersonen zu haben, mit denen es konsistente Beziehungserfahrungen machen kann. Allerdings kommt zum wechselseitigen Kontakt jetzt, kurz vor Beendigung des zweiten Lebensjahres, noch etwas Weiteres hinzu. Das Kind braucht nun zusätzlich ein Übungsfeld, in dem es Handeln und Fühlen in unterschiedlichen Rollen, also aus verschiedenen Perspektiven, erproben kann. Dieses Übungsfeld für die spätere reale Welt ist das kindliche *Spiel.* Seine überragende Bedeutung ergibt sich daraus, dass das Kind hier, und *nur* hier, eine nahezu unendliche Anzahl von Handlungs- und Interaktionssequenzen kennen lernen und trainieren kann.

Die Fähigkeit zu spielen ist an neurobiologische Voraussetzungen gebunden: Im Alter von etwa achtzehn Monaten ist das Kind so weit, dass es Handlungen gezielt beobachten und durch bewusste, selbst gesteuerte *Imitation* einüben kann. Die Spiegelsysteme sind entwickelt und stehen bereit, um sich von Modellen alles abzuschauen. Doch dies allein reicht nicht aus. Das Kleinkind kann sich die Welt des Spiels nicht selbst erschließen. Es muss zunächst eine gewisse Zeit lang von Bezugspersonen in sie eingeführt werden. Bezugspersonen, die das Kind zum Spielen anleiten, sind aus neurobiologischer Sicht durch nichts zu ersetzen, weil die Spiegelsysteme – wie Versuche zeigen – Handlungssequenzen nur dann einspiegeln können, wenn sie von *lebenden Vorbildern,* von *biologischen Akteuren* kommen. Kleinkinder brauchen also präsente, lebendige Betreuer. Menschen oder Figuren, die nur auf dem Bildschirm zu sehen sind, haben den schweren und entscheidenden Nachteil, dass sie mit dem Kind keine individuellen Interaktionen gestalten können. Nur wenn Betreuer persönlich anwesend sind, individuell auf die Aktionen des Kindes reagieren und das Spielen immer wieder in Gang bringen, können Kleinkinder, nachdem sie ein entsprechendes Alter erreicht haben, zeitweise dazu übergehen, das Spiel selbst zu organisieren.

Eine Leistung der Spiegelsysteme: Sicherheit durch Orientierung und das Erkennen bedeutungsvoller Zeichen

Die Beobachtung und Imitation des Umgangs anderer Menschen miteinander und mit den Gegenständen der Welt führen zum Aufbau neuer Verknüpfungen zwischen Nervenzellen. Die mit eineinhalb Jahren beginnende Imitationsphase führt, wenn sie durch ein ausreichendes Spielangebot unterstützt wird, zum Ausbau jenes Systems von Spiegelneuronen, das später das volle Spektrum intuitiven Verstehens und Handelns ermöglicht. Handlungen sind mehr als nur motorische Ereignisse. Sie werden immer auch begleitet von einer Wahrnehmung, wie sich die Aktion für den Akteur anfühlt. Wie sich eine Handlung anfühlt, ist im doppelten Sinne des Wortes »anfühlen« bedeutsam. Wichtig ist zum einen abzuschätzen, welche Körpergefühle, von guten Gefühlen über Missempfindungen bis hin zu vielleicht möglichen Schmerzen, zu erwarten sind. Zum anderen stehen die meisten Handlungen auch in einem emotionalen bzw. affektiven Kontext. Auch diese Aspekte brauchen eine Einführung durch Bezugspersonen, damit das Kind sie nach einer gewissen Zeit selbst ins Spiel einbringen und dort dann auch trainieren kann. Kinder, die keine Anleitung zur spielerischen sensomotorischen Einübung von Handlungssequenzen erhalten haben, sind in ihrem Verhalten bzw. in ihrer Körpersprache oft nicht entwickelt, meistens grob, ungeschickt oder gehemmt.

Zu jeder Aktion gehören optische Kennzeichen, die dazu dienen können, die Absicht, den Handlungsablauf oder das zu erwartende Ergebnis eines Geschehens zu erkennen bzw. vorauszusagen: Körperhaltungen, Kopf- oder Rumpf-bewegungen und – vor allem – Gesichtsausdruck und Blickbewegungen. Wenn das Kind andere Menschen beobachtet, speichert es daher auch die jeweils typischen, zu einer speziellen Handlungsfolge gehörenden optischen Merkmale der Akteure. So entstehen Nervenzellnetze, aus denen sich nach und nach *das optische Aufbereitungs- und Interpretationssystem (STS)*[7] entwickelt. Das Kleinkind schenkt den optischen Merkmalen, die ihm Aufschluss über die Absichten und Ansichten seiner Bezugspersonen geben, besondere Beachtung. Über die ersten Lebensjahre hinweg orientiert es sich bei der Einschätzung aktueller Situationen daran, wie sie von der Bezugsperson beurteilt werden. Es übernimmt die Bewertungen der Eltern sogar dort, wo es um die eigene Befindlichkeit geht. Tritt ein für das Kind unerwartetes, neues oder widriges Phänomen auf, dann wandert sein Blick – optisches Interpretationssystem! – sofort zum Gesicht des Erwachsenen. Das Gleiche passiert, wenn es neben seiner Mutter hinfällt: Es erkundigt sich mit einem spontanen Blick zu ihrem Gesicht, ob ihm dieser Sturz sehr oder nur wenig wehgetan hat. Für diesen permanenten Abgleich braucht das Kind den Blick auf die Eltern.

---

[7] Das optische Aufbereitungs- und Interpretationssystem wurde am Ende des zweiten Kapitels erläutert.

Von erlebten Erfahrungen zu internen Arbeitsmodellen: Die Entstehung innerer Schemata des Erlebens und Verhaltens

Die Welt, wie sie das Kind nach und nach kennen lernt, ist kein Warenhauskatalog, sondern ein Set von Handlungs- und Interaktionsmöglichkeiten, die es zunächst passiv erlebt, sich dann abschaut und schließlich imitierend einübt. Beobachtung und Imitation erzeugen im kindlichen Gehirn ein Skript, das in Nervenzellnetzen gespeichert ist. Dieses Skript repräsentiert die Welt als Handlungssequenzen, und zwar in mehreren Dimensionen. Es beschreibt die typischen optischen Kennzeichen, anhand deren sich Aktionen, die sich anbahnen oder gerade ausgeführt werden, erkennen lassen; es beschreibt Ziel- oder Endzustände und die Handlungsfolge, die notwendig ist, um sie zu erreichen; es beschreibt, wie sich der Vollzug einer Handlung für den Akteur körperlich anfühlt oder anfühlen würde; und es beschreibt schließlich den zu einer Handlungsfolge gehörenden affektiv-emotionalen Kontext. Das Kind speichert in seinen Netzwerken *interne Arbeitsmodelle*, nach denen Menschen in der Welt handeln und ihre sozialen Abläufe untereinander regeln.

Es überrascht nicht, dass die in den frühen Lebensjahren entstehenden Schemata des Erlebens und Verhaltens abbilden, was das Kind in seiner individuellen Umgebung und bei seinen maßgeblichen Bezugspersonen als regelhaft beobachtet. Die Übernahme dieser konkreten, dem individuellen biografischen Biotop entnommenen Modelle bedeutet aus der Sicht des Kindes die optimale Anpassung an die reale Umwelt, die ihm nun einmal vorgegeben ist. Solange das Kind die Chance hat, sich in wesentlichen Berei-

chen innerhalb eines durchschnittlichen Korridors zu entwickeln, keine Gewalt erleidet und sich auf verlässliche
Bezugspersonen stützen kann, hat es seine individuelle optimale Umwelt. Dessen ungeachtet können sich die Handlungsschemata, die es in seiner primären Umwelt kennen
gelernt hat, erheblich von den regelhaften Abläufen unterscheiden, mit denen der Erwachsene in späteren Jahren
nach Verlassen seines Zuhauses konfrontiert wird. Sicher-
lich: Was in der Herkunftsfamilie eine optimale Anpassung
war, kann – und sollte – auch danach einigermaßen passen.
Es kann sich aber auch – falls es nicht passt – als eine Hypo-
thek erweisen und das Individuum vor erhebliche Probleme stellen. Eine später im Leben notwendige Neuanpas-
sung kann einen Menschen unter Umständen überfordern
und externe Hilfe notwendig machen (siehe Kapitel 9). Wir
sollten uns aber vor der weit verbreiteten Vermutung hü-
ten, der familiäre Hintergrund sei in einem solchen Fall
»schlecht« gewesen.

Die Fähigkeit zu emotionaler Resonanz

Die Fähigkeit zur Empathie hängt in hohem Maße davon
ab, dass die Spiegelsysteme, die Mitgefühl ermöglichen,
durch zwischenmenschliche Erfahrungen ausreichend eingespielt und in Funktion gebracht wurden. Ein Kind, dem
die Erfahrung fehlt, dass andere, insbesondere seine Bezugspersonen, auf seine Gefühle eingehen, wird seinerseits
nur schwerlich eigene emotionale Resonanz entwickeln
können. Bei normaler Entwicklung erwerben Kinder Empathie zwischen dem zweiten und dem dritten Lebensjahr.
Interessanterweise zeigt sich beim Kind kurz *nach* dem Auf-

treten des Einfühlungsvermögens erstmals die intellektuelle Erkenntnis, dass andere Personen auf Grund eines anderen Betrachterstandpunkts nicht unbedingt das Gleiche sehen können wie es selbst.

Die Voraussetzung für Resonanz und Empathie ist, dass sich in den ersten zwei bis drei Jahren nach der Geburt die dafür notwendigen Komponenten entwickeln konnten. Nicht nur der *primäre Erwerb* des Einfühlungsvermögens kann gestört sein. Auch eine bereits vorhandene Fähigkeit zur Empathie kann, *sekundär*, schweren Schaden erleiden, und zwar durch Extremerfahrungen von Gefühllosigkeit oder Brutalität.

Um Resonanz und Empathie in all ihren unterschiedlichen Spielarten selbst auszubilden, bedarf es beim Kind, wie bereits erwähnt, eigener, persönlich erlebter Erfahrungen von Mitgefühl. Bekanntschaft damit macht das Kind vom Zeitpunkt der Geburt an. Von da an benötigt die Resonanzfähigkeit, wie alle anderen Fertigkeiten, Einübung. Im Alter von etwa eineinhalb bis zwei Jahren eröffnet sich für das Kind die Möglichkeit, Modelle von emotionaler Resonanz im Spiel kennen zu lernen und auszuprobieren. Was Bewegung und Sport für seine körperliche Entwicklung sind, ist das Spielen für die Einübung seiner zwischenmenschlichen Handlungsstile.

Das Spiel, verstanden als Durchspielen von Optionen des Handelns und Fühlens, verbunden mit der Möglichkeit, sich in unterschiedliche Rollen hineinzuversetzen, ist nicht nur für das Kind von Bedeutung. Auch Erwachsene brauchen Foren, auf denen Anschauungen, Handlungsstile und Gefühle erprobt und reflektiert werden können. Ein solches Forum ist das Theater. »Das Theater«, schreibt die Feuilletonistin Elisabeth Kiderlen, »ist ständig dabei, Lebenskonzepte zu überprüfen. Theater ist ein Möglichkeitsraum, eine Versuchsanstalt. Hier kann alles passieren, auch das Misslingen. Theater ist lebendiges Probehandeln.« Diese Worte könnten auch eine perfekte Beschreibung des kindlichen Spiels sein. Die Notwendigkeit, neue Perspektiven und unterschiedliche Handlungsmuster auszuprobieren, endet also nicht mit der Kindheit. Das Handlungs- und Interaktionsinventar, das wir als soziale Gemeinschaft leben und im neurobiologischen Format des Spiegelsystems aufbewahren, muss zeitlebens – zunächst im Spiel, später in unterschiedlichen Formen des kulturellen Austausches – immer wieder neu ausgehandelt werden. Eine noch darüber hinausweisende Perspektive findet sich in philosophischen Betrachtungen von Wilhelm Schmid, der das Leben selbst als einen Akt des kunstvoll und kreativ zu gestaltenden Spiels beschrieben hat.

Wenn emotionale Resonanz nicht möglich ist: Das Problem des Autismus

Die Fähigkeit zu intuitivem Verständnis und emotionaler Resonanz kann individuell sehr unterschiedlich entwickelt sein. Dass es hier ein breites Spektrum mit fließenden Übergängen gibt, macht den Reiz der Individualität und der Begegnung in Beziehungen aus. Defizite in emotionaler Resonanz können in Einzelfällen jedoch derart ausgeprägt sein, dass Kontakt und Kommunikation in massiver Weise erschwert werden oder gar nicht möglich sind. Schwierigkeiten, bei sich oder anderen Gefühle wahrzunehmen und diese zu spiegeln, nennen Fachleute Alexithymie. Schwere Störungen der emotionalen Resonanz werden, wenn sie krankhafte Züge annehmen, als *Autismus* bezeichnet. Im Gegensatz zu alltäglichen menschlichen Eigenarten, die gelegentlich leichtfertig autistisch genannt werden, handelt es sich bei klinischen autistischen Gesundheitsstörungen um deutlich mehr, nämlich um Beeinträchtigungen des sozialen Aufeinander-Eingehens, Auffälligkeiten der Kommunikation oder der Sprache und ein vermindertes, häufig auf wenige Standardschemata eingeschränktes Verhaltensrepertoire.

Die Defizite von Kindern und Erwachsenen, die an Autismus leiden, zeigen sich exakt im Bereich jener Fähigkeiten, die auf der Funktion der Spiegelneurone basieren. Erste Untersuchungen, zum Beispiel eine Studie von Hugo Theoret und Kollegen, zeigen, dass es sich um eine Störung der Spiegelsysteme handelt. Bereits im zweiten Lebensjahr zeigen autistische Kinder eine verminderte Fähigkeit, spontane Gesichtsausdrücke oder Gesten zu imitieren. Auch ist bei ihnen die Tendenz zur spontanen Ausrichtung der eigenen Aufmerksamkeit auf die der Bezugsperson (die »joint attention«) massiv vermindert. Autistische Kinder haben große Schwierigkeiten, sich in die Sicht und die Lage anderer zu versetzen und deren Perspektive zu reflektieren. Ihr Vermögen, die Gefühle von Mitmenschen zu erkennen und zu berücksichtigen, ist stark beeinträchtigt, und sie haben ernste Probleme mit der Fähigkeit, eine »Theory of Mind«[8] zu entwerfen. Auf Grund all dessen ist es autistischen Kindern nur schwer oder kaum möglich, intuitive, emotional bedeutsame Bindungen herzustellen. Ihnen fehlt das Gefühl, sich in der Welt der anderen spontan zu Hause zu fühlen. Ihr Verständnis für Interaktionen bleibt hinter ihrer rationalen Intelligenz weit zurück. Tatsächlich kompensie-

---

[8] Die »Theory of Mind« habe ich im zweiten Kapitel erläutert.

ren zahlreiche autistische Kinder – und dies ist auch ein Kennzeichen mancher autistischer Erwachsener – ihre Defizite im intuitiven Verstehen zwischenmenschlicher Situationen, indem sie eine hochkomplexe analytische Intelligenz ausbilden, mit der sie, wenn auch umständlich und zeitverzögert, »ausrechnen«, was andere spontan erfassen.

Vieles spricht dafür, dass der autistischen Störung eine Funktionseinschränkung verschiedener Spiegelneuronensysteme zu Grunde liegt. Allerdings ist unklar, ob es sich um eine primäre Dysfunktion im Bereich der biologischen Grundausstattung handelt oder ob autistische Kinder in den Monaten nach ihrer Geburt, warum auch immer, weniger Gelegenheit zu wechselseitiger spiegelnder Kommunikation hatten. Es ist möglich, dass beides eine Rolle spielt, so wie dies auch bei einigen anderen neuropsychiatrischen Syndromen der Fall ist: Minimale Defizite in den biologischen Anlagen können es den Bezugspersonen erschweren, spiegelnden Kontakt zu ihrem Säugling zu finden, und umgekehrt erleiden die angeborenen Spiegelsysteme einen entscheidenden frühen Trainingsausfall, wenn sie nicht in Funktion treten können. Genetische Aktivität, neurobiologische Struktur und Umwelterfahrungen unterliegen einem ständigen, wechselseitigen Einfluss. Dies gilt wahrscheinlich auch für die autistische Störung. Da wir jedoch an der biologischen Grundausstattung eines Neugeborenen nichts ändern können, sollten wir alles daransetzen, dass Säuglinge und Kleinkinder den Zauber einer spiegelnden, Anteil nehmenden und verständnisvollen Umwelt erleben können.

4.
Spiegelneurone und die Herkunft der Sprache

Nicht alle tun es so wild wie einst der französische Komiker Louis de Funès, aber alle tun es: Wir reden mit den Händen. Doch was hat es damit auf sich, dass Menschen – mal mehr, mal weniger heftig – beim Sprechen mit den Händen gestikulieren? Und warum tun es sogar Blinde, übrigens selbst dann, wenn sie wissen, dass ihr Gegenüber ebenfalls blind ist? Die Entdeckung der Spiegelnervenzellen führte zur Klärung einiger bemerkenswerter, teilweise erstaunlicher Zusammenhänge. Eine dieser Einsichten betrifft den engen und tief reichenden Zusammenhang zwischen Handlungen und Sprache. Im Gehirn befinden sich die Nervenzellnetze, die für die Sprachproduktion zuständig sind, an gleicher Stelle wie die Spiegelneurone des bewegungssteuernden Systems. Es ist nicht ausgeschlossen, dass sie teilweise identisch sind.[1] Die Sprache hat sich im Verlauf der Entwicklung des Menschen offensichtlich aus den motorischen Systemen des Gehirns entwickelt.

---

[1] Mehrere Studien haben sich dieser Frage gewidmet. Der Ort der prämotorischen Spiegelneurone befindet sich beim Affen im Areal F5, das beim Menschen dem prämotorischen Areal Brodman A44 und A45 entspricht, wo sich auch die motorische Sprachregion Broca befindet.

Die Sprache als Transporteur von Handlungsvorstellungen

Die motorische Sprachregion hat ihren Sitz im Gehirn dort, wo auch Nervenzellen anzutreffen sind, die Programme für Handlungsvorstellungen gespeichert haben. Diese Handlungsnervenzellen sind zugleich Spiegelneurone: Sie feuern nicht nur, wenn sie die Aktion, deren Ausführung sie programmiert haben, durch den eigenen Körper realisieren lassen wollen, sondern auch dann, wenn wir diese Handlung bei einem anderen beobachten oder das für sie typische Geräusch hören. Und nicht nur die Wahrnehmung einer Handlung, auch das Reden darüber führt – beim zuhörenden Menschen – zu einer Resonanz, und zwar derjenigen Handlungsnervenzellen, die auch feuern würden, wenn wir die gleiche Handlung selbst vollzögen. Auf diesem Spiegeleffekt beruht unsere Fähigkeit, das Agieren anderer Menschen intuitiv zu verstehen, indem wir es spontan in uns selbst simulieren. Die Sprache ist Teil dieses Resonanzsystems, durch das – als Folge der Beobachtung von Handlungen anderer – in uns selbst Handlungsszenarien angestoßen werden. Die phänomenale Fähigkeit der Sprache, schnelle und intuitive Verständigung zu erzeugen, beruht also auf den Effekten der Spiegelneurone.

Ohne die durch Spiegelneurone vermittelte Resonanz wäre die Sprache nicht jenes schnelle, hochwirksame Mittel, um Vorstellungen, die wir selbst haben, in einen anderen Menschen einzuspiegeln. Die Sprache versetzt uns in die Lage, Spiegelbilder unserer Vorstellungen im anderen wachzurufen und dadurch gegenseitiges Verstehen zu erzeugen. Dies bedeutet, dass die Sprache über ein erhebliches intuitives und suggestives Potenzial verfügt. Da sich das Sprachareal in der prämotorischen Region befindet, liegt der Gedanke nahe, dass Sprache – ursprünglich – ein lautes Nachdenken über Handlungen bzw. Handlungsszenarien darstellt, die sich, auf Grund des Spiegeleffekts, spontan vom Sprechenden auf den Zuhörenden übertragen. Die Beziehung der Sprache zu Handlungsvorstellungen zeigt sich auch daran, dass sie Handlungsersatz sein kann. Sprache transportiert ein verstecktes Handlungspotenzial, dessen dynamische Kraft häufig spürbar wird. Denn sprechen heißt nicht nur, die Vorstellungen von Handlungen auszutauschen. Was man uns sagt, kann uns »bewegen«, erregen und verändern. Sprache kann, wie jeder weiß, die Wirkung einer Handlung haben, sie kann das Äquivalent, das heißt der nahezu gleichwertige Ersatz einer tätlichen Handlung sein. Nicht zufällig bezeichnen wir etwas Gesagtes manchmal als »Schlag« oder »Ohrfeige«.

Am Anfang Laute und Bewegung, dann Sprache und Handlung: Die Entwicklung der Sprache beim Kind

Ob die Sprache aus Handlungsvorstellungen entstanden, also letztlich als ein Produkt unserer Motorik anzusehen ist, lässt sich von einem weiteren interessanten Ansatzpunkt aus analysieren. Blicken wir einmal auf die Beziehungen zwischen den Vorläufern von Handlungen und den Vorläufern der Sprache, also zwischen ungezielter Motorik und nichtsprachlicher Lautbildung. Dazu müssen wir uns in die vorsprachliche Phase der Entwicklung, also in die ersten Lebensmonate des Menschen zurückbegeben. Was können wir hier beobachten? Etwa in der Zeit zwischen dem sechsten und dem achten Lebensmonat beginnt der Säugling rhythmische, zum Beispiel ausholende oder klatschende Handbewegungen zu vollziehen. Das Kind hat nun die Fähigkeit entwickelt, die nach der Geburt zunächst außerhalb seiner Kontrolle ablaufende Motorik zu einem rhythmischen Bewegungsgeschehen werden zu lassen. Gleichzeitig, und meistens auch im gleichen Takt, gibt das Kind jetzt auch in stetiger Wiederholung Laute wie »da-da-da-da« und Ähnliches von sich. Die parallele Entwicklung von Motorik und Lautbildung ist eine Fortsetzungsgeschichte. Kurz darauf, im Alter von acht bis zehn Monaten, bedient sich das Kind, auf der motorischen Ebene, erstmals einfacher Gesten, die mit einer klaren Bedeutung versehen sind. Zum Beispiel zeigt es auf etwas oder winkt. Zur gleichen Zeit setzt es, auf der sprachlichen Ebene, erstmals bedeutungstragende Laute wie »Da!«, »Ada«, »Winke-winke« und Ähnliches ein. Wenn es dann beginnt, ihm bisher unbekannte Handlungen zu imitieren, spricht es – wiederum zur gleichen Zeit – bewusst Worte nach, die es noch nicht kannte.

In den nächsten Entwicklungsschritten zeigt sich, dass das eng geflochtene Band zwischen Bewegung und Lautbildung zu einem Zusammenspiel von Handlungsfähigkeit und Sprache wird: Zwischen dem elften und dreizehnten Monat beginnt das Kind zu signalisieren, dass es einen Gegenstand erkannt hat, indem es Gesten vollzieht, die dessen Verwendung ausdrücken. Das Kind zeigt, auf der motorischen Ebene, so genannte Gebrauchsgesten, das heißt, es demonstriert durch Bewegungen die zu dem Objekt gehörenden Handlungen: Es führt den Telefonhörer ans Ohr, die Bürste zum Haar oder die Tasse zum Mund. Parallel dazu beginnt, auf der sprachlichen Ebene, die benennende Wortproduktion (»Wau-wau!«, »Katze!«). Das erstmalige Auftreten von Gebrauchsgesten und der Beginn der benennenden Wortproduktion stehen beim Kind in engster Verbindung. Von amerikanischen Entwicklungspsychologen stammt der Satz: »Early gesturers tend to be early namers« – Kinder, die früh Gebrauchsgesten zeigen, neigen auch früh dazu, Dinge zu benennen. Mehr noch: Bei dem, was das Kind durch Gesten wiedergibt, und dem, was es benennt, handelt es sich – inhaltlich gesehen – weitgehend um die gleichen Gegenstände bzw. Handlungen.

Rechtshändigkeit und »Linkssprachlichkeit«

Der Zusammenhang zwischen motorischen Aktionen und Sprache, wie er sich im ersten Lebensjahr offenbart, hat noch einen weiteren Aspekt: Spätestens vom dreizehnten Lebensmonat an zeigen die Handgesten rechtshändiger Kinder eine eindeutige Rechtslastigkeit. Und siehe da: Dort, wo die Bewegungen der rechten Hand gesteuert werden, nämlich in der linken Gehirnhälfte, befindet sich bei Rechtshändern auch das Sprachzentrum. Zur Erklärung: Da sich die Nervenfasern auf dem Weg vom Rückenmark zum Cortex kreuzen, liegen die motorischen Nervenzellen, welche die Bewegungen und Handlungen der rechten Körperhälfte steuern, in der linken Hirnrinde (und umgekehrt). Die Handlungsplanung für rechtsseitige Gesten ist demnach im linken prämotorischen Areal angesiedelt, also dort, wo sich auch das Sprachzentrum befindet.

Die rechtsbetonte Gestik beim einjährigen Kind bedeutet somit, dass sie vom gleichen Ort aus in Gang gesetzt wird wie die Sprache, nämlich im unteren prämotorischen Areal der linken Hirnrinde. Bei Linkshändern besteht der gleiche Zusammenhang, nur spiegelverkehrt. Im Übrigen verwendet das Kind Gebrauchsgesten im Laufe der Zeit immer seltener, während es gleichzeitig seine Sprachkompetenz entfaltet. Schritt für Schritt ersetzt und verdrängt die Sprache die Gestik. Die weitere Ausformung der Sprache ermöglicht es dem Kind, Sachverhalte, Gegenstände und Handlungen zunehmend rein verbal zu benennen. Gesten bleiben jedoch die lebenslange Begleitmusik der Sprache.

Wie die Entwicklung des Kindes zeigt, entfaltet sich Sprache nicht im leeren Raum des Geistes. Vielmehr gehen körperliches, motorisches Agieren und Spracherwerb Hand in Hand. Sprechen wie handeln kann das Kind nur im Kontext zwischenmenschlicher Beziehungen. Bezugspersonen sollten daher für das Kind vom Zeitpunkt der Geburt an körperlich spürbar sein und ihm damit eine erste motorische Erfahrungsplattform zur Verfügung stellen. Später dienen sie dem Kind dann hinsichtlich der Motorik vor allem als Modelle, an denen es erkennt, wie man Objekte verwenden und in der Welt handeln kann. Immer sind zwischenmenschliche Beziehungen der Aktions- und Interaktionsraum, in dem das Kind seine motorischen Fähigkeiten ausprobieren und entfalten kann, und die bedeutendste Möglichkeit, mit der es sich diesen Aktionsraum erschließt, ist – wie schon erwähnt – das *Spiel*.

Auch beim Spielen zeigt sich wieder die enge Verbindung von Handeln und Sprache: Etwa vom achtzehnten Lebensmonat an ist das Kind in der Lage, Handlungen zu logischen Sequenzen aneinander zu reihen. Dies ist die entscheidende Voraussetzung für das Spielen. Das Kind rührt zum Beispiel in einem Becher und führt ihn dann zum Mund. Parallel zu diesem motorischen Fortschritt kommt es zu einem sprachlichen Entwicklungssprung: Zeitgleich beginnt das Kind nun Wörter einander zuzuordnen und sinnvolle Wortkombinationen zusammenzustellen. Das dazu nötige Wortmaterial weiß es sich zu besorgen: Um diese Zeit herum kommt es zum »vocabulary burst«, zu einer gewaltigen Zunahme des Wortschatzes. Eine weitere, wiederum perfekte Wechselwirkung zwischen Motorik und Sprache zeigt sich etwas später, im Alter von zwei bis zweieinhalb Jahren: Auf der Handlungsebene beginnt das Kind beim Spielen aus Einzelobjekten Gebäude, Türme und andere Konstruktionen zu erschaffen. Auf der sprachlichen Ebene fängt es zur gleichen Zeit an, Worte – unter Verwendung grammatikalischer Regeln – zu Sätzen und damit zur eigentlichen Sprache zusammenzusetzen.

Die Entwicklung des Kindes auf dem Weg zur Sprache zeigt uns, dass nicht nur sein Weltverständnis, sondern auch die Sprache ihren entscheidenden Rückbezug in unmittelbaren, körperlichen Handlungserfahrungen und daraus abgeleiteten Handlungsvorstellungen hat.[2] *Die Sprache ist keine Ansammlung abstrakter Begriffe oder Etikettierungen für die Objekte einer unbelebten Welt. Sie hat ihre Wurzeln in den Handlungen bzw. Handlungsmöglichkeiten samt den dazugehörenden sensorischen Erfahrungen ihrer biologischen Akteure.* Der primäre Gegenstand der Sprache ist die Wiedergabe und Beschreibung der Art und Weise, wie lebende Akteure in dieser Welt handeln und mit anderen interagieren können und was sie dabei fühlen. Sprache kann sich beim Kind daher nur dort entwickeln, wo ihm zwischenmenschliche Beziehungen das Terrain für Handlungs- und Interaktionserfahrungen bieten. Andere Terrains, insbesondere der Bildschirm, sind im Vergleich dazu weniger als

---

[2] Dass Handlungsvorstellungen immer auch von der Vorstellung der dazugehörenden somatosensiblen Aspekte begleitet sind, habe ich im zweiten Kapitel ausgeführt.

eine Krücke. Ohne gute zwischenmenschliche Beziehungen fehlt eine der notwendigen Voraussetzungen, um Sprache zu entwickeln.

Intuitives Verstehen benötigt keine Sprache, aber: Keine Sprache ohne Verstehen

Dank der Spiegelzellsysteme ist es möglich, Handlungen auch ohne Sprache intuitiv zu verstehen. Doch umgekehrt ist die Sprache, Ausdruck von verstandenem Handeln, ohne entwickelte Handlungsvorstellungen nicht möglich. Dies wird an Personen mit einer Apraxie deutlich. Sie sind trotz eines intakten Bewegungsapparates nicht – oder nicht mehr – in der Lage, Handlungsfolgen zu planen und auszuführen. Solche Patienten leiden, obwohl ihr Sprechorgan funktionsfähig ist, immer auch an einer Aphasie, das heißt einer Beeinträchtigung ihres sprachlichen Ausdrucksvermögens. Umgekehrt kann aber das Handlungsverständnis, die so genannte Praxie, trotz einer Sprachstörung bzw. Aphasie voll erhalten sein.

Dort, wo erkennbar ist, dass die Sprache im Widerspruch zu den dazugehörenden Handlungsvorstellungen steht, tut man gut daran, den Versprechungen nicht zu vertrauen. Leider sind solche Widersprüche im Alltag alles andere als leicht erkennbar. Umso amüsanter ist, was die folgende Untersuchung aufdeckte, die aus der Überlegung hervorging, dass Gesten, mit denen wir unser Sprechen begleiten, ein Stück weit die Handlungsvorstellungen beschreiben, die dem Gesagten zu Grunde liegen. Man gab Testpersonen den Auftrag, durch geeignete Handgriffe einen nicht zu schweren, optisch überschaubaren technischen Defekt an einer Apparatur zu beheben, und zwar zunächst nur in Gedanken. Dann sollten sie anderen Probanden, die das Problem nicht kannten, kurz darstellen, wie sie es lösen wollten. Diese wiederum wurden gebeten, sich die Referate anzuhören und zu bewerten, inwieweit das Gesagte und die Handgesten der Redner zusammenpassten. Das Ergebnis dieser Bewertung wurde dann in Beziehung gesetzt zu der Fähigkeit der Testpersonen, den Apparat anschließend tatsächlich zu reparieren. Das Ergebnis war: Wenn Gesten und Sprache nicht übereinstimmten, konnte der Kandidat auch das Problem nicht lösen. Wieder einmal hat die Bibel Recht: An ihren *Früchten* sollt ihr sie erkennen (Matthäus 7,16).

Nicht ohne Witz ist, dass Sprachprodukte, die im Widerspruch zu einer Handlungsabfolge stehen, den Akteur bei der Ausführung der Handlung stören können. Versuche zeigen, dass Personen Handlungen deutlich schlechter gelingen, wenn ihnen verbal eine entgegengesetzte Botschaft vermittelt wird: So bewerkstelligen, ein Beispiel unter vielen, Versuchspersonen den Griff nach einem Objekt, das sich weit über ihnen befindet, deutlich schlechter, wenn auf ihm in großer Schrift das Wort »unten« steht.

Auch in der Sprache bilden Handlungsvorstellungen und Empfindungen eine Einheit

Der enge neurobiologische und entwicklungspsychologische Bezug der Sprache zu Handlungsvorstellungen könnte den Eindruck erwecken, die Sprache gäbe der Aktion den Vorzug vor der Empfindung. Auch wenn dies vielleicht sogar ein Stück weit zutreffen mag, darf man nicht vergessen:

Die Nervennetze der inferioren prämotorischen Rinde, die Handlungsvorstellungen kodieren, stehen in permanenter Verbindung mit den Netzen der inferioren parietalen Rinde, in denen Vorstellungen von Empfindungen abgespeichert sind. Parallel zu jeder Handlungsvorstellung wird die dazugehörende Empfindungssequenz aktiviert, das Körpergefühl, das sich mit der Handlung einstellen würde. Das Gleiche gilt für die Sprache: Sie sitzt, neurobiologisch gesehen, nicht nur am Ort der Handlungsvorstellungen (von wo aus sie Zugang zu den Netzwerken hat, welche die einer Handlung entsprechenden Empfindungen und Gefühle repräsentieren). Neben dem – im unteren prämotorischen Cortex befindlichen – Zentrum der Sprachbildung (dem sogenannten Broca-Zentrum) gibt es ein Zentrum für die Sprachempfindung bzw. für das Sprachverständnis (das so genannte Wernicke-Zentrum).

Mittels der Sprache ausgelöste Spiegelphänomene können, wie wir aus der Alltagserfahrung wissen, im Zuhörer nicht nur Handlungsideen aktivieren, sondern, in vielleicht noch stärkerem Ausmaß, auch Körpergefühle hervorrufen. Da Worte über den Spiegelmechanismus im Hörenden Handlungs- und Empfindungsvorstellungen erzeugen können, kann das, was wir einem Menschen sagen, eine massive suggestive Wirkung entfalten und sein Befinden – positiv oder negativ – beeinflussen. Diese suggestive Wirkung kann der der Musik, einer universellen »Sprache« ganz eigener Art, nahe kommen.

5.
Dein Bild in mir, mein Bild in dir:
Spiegelung und Identität

Tritt ein Mensch in unseren Wahrnehmungshorizont, dann aktiviert er, ohne es zu beabsichtigen und unabhängig davon, ob wir es wollen oder nicht, in uns eine neurobiologische Resonanz. Verschiedene Aspekte seines Verhaltens wie Blickkontakt, Stimme, mimischer Ausdruck, Körperbewegungen und konkrete Handlungen rufen in uns ein Spektrum von Spiegelreaktionen hervor. Wir rekapitulieren: In Resonanz begeben sich Nervenzellnetze, die auch dann aktiv werden würden, wenn wir selbst täten, was wir gerade bei einem anderen Menschen beobachten. Betroffen sind Netzwerke des prämotorischen Systems, die der Handlungsplanung dienen, und Netzwerke des Körperempfindens, mit denen wir spüren, wie sich eine Handlung für den wahrgenommenen Akteur anfühlt bzw. anfühlen würde. Letztere stehen in Verbindung mit den Emotionszentren des Gehirns[1]: Auch hier befinden sich Spiegelnervenzellen, die in uns – nach Art eines Simulators – das aktivieren, was zunächst nur die Emotionen und Gefühle des anderen waren.[2] Durch Spiegelnervenzellen ausgelöste Resonanz be-

---

[1] Gyrus cinguli, Amygdala, außerdem die Insula (Körperkarte der inneren Organe).

[2] Die Wahrnehmung der Emotionen und Gefühle eines anderen Menschen ergeben sich aus einer Rekonstruktion der körpersprach-

deutet: Indem wir die Handlungsabsichten, Empfindungen und Gefühle eines Menschen selbst in uns spüren, gewinnen wir ein spontanes, intuitives Verstehen dessen, was den anderen bewegt.

Bei Personen, die fest zu unserer sozialen Welt gehören oder mit denen wir das Leben ein Stück weit teilen, bleibt es nicht dabei, dass wir in Momenten der Begegnung spüren, was in ihnen vorgeht. Das Resonanzmuster, das Nahestehende in uns hervorrufen, wird innerhalb kurzer Zeit zu einer festen Installation. Es entsteht eine dynamische innere Abbildung dieses Menschen, komponiert aus seinen lebendigen Eigenschaften: seinen Vorstellungen, Empfindungen, Körpergefühlen, Sehnsüchten und Emotionen. Über eine solche innere *Repräsentation* einer nahe stehenden Person zu verfügen heißt, so etwas wie einen weiteren Menschen in sich zu haben. Denn einen haben wir ja schon in uns: die neurobiologische und psychische Repräsentation des eigenen Selbst. Sie bezieht ihr Wissen über sich selbst keineswegs nur aus eigenen Quellen, sondern auch aus der Summe jahrelanger Rückmeldung, wie andere uns erleben und für was sie uns halten. Unser Selbst und neben ihm die Repräsentationen anderer, die wir in uns etabliert haben, zeigen also eine merkwürdige Tendenz, aufeinander abzufärben. Umso wichtiger ist die Frage, wie wir beides auseinander halten, unser Selbst und die Repräsentationen anderer Menschen.

Natürlich sind Repräsentationen nur Konstrukte unseres Gehirns und nicht identisch mit den tatsächlichen Personen

---

lichen Zeichen, die er aussendet. Die Zusammenführung und Bewertung dieser Zeichen auf Seiten des Beobachters erfolgt durch das optische Aufbereitungs- und Interpretationssystem (STS), welches im zweiten Kapitel dargestellt wurde.

(wobei es keine objektive Instanz gibt, die wüsste, wie wir »tatsächlich« sind).[3] Sonst würden wir nicht immer wieder einmal gesagt bekommen, dass wir nicht so sind, wie wir selbst meinen, oder von anderen hören, sie seien nicht so, wie wir sie sähen. Schon der Philosoph Martin Buber erkannte, dass beim Zusammentreffen zweier Menschen »zwei lebende Wesen und sechs gespenstische Scheingestalten« im Spiel sind.[4] Auch aus neurobiologischer Sicht nehmen an jeder Begegnung zweier Menschen eigentlich sechs, mindestens jedoch vier Personen teil: 1. die beiden Personen, wie sie sich jeweils selbst in ihren Selbst-Repräsentationen wahrnehmen (das heißt, wie sie selbst zu sein glauben), dann 2. die beiden Personen, wie sie sich wechselseitig als Repräsentationen in sich tragen (das heißt, wie sie glauben, dass der jeweils andere sei), schließlich 3. die nur als physische Realität vorhandenen Personen (diese existieren allerdings, da sie in keine Repräsentation eingehen, aus der Sicht der beteiligten Gehirne nur virtuell). Der berühmte Seelenforscher Otto F. Kernberg hatte also Recht, als er einst einen überfüllten Hörsaal von Studenten mit der Bemerkung zum Lachen brachte: »Wenn zwei miteinander schlafen, sind mindestens vier oder mehr andere Personen beteiligt.«

---

[3] Niemand weiß, wer wir wären, wenn wir nicht über Repräsentationen wahrgenommen werden würden. Zwischenmenschliche Wahrnehmung geschieht immer über die Bildung von Repräsentationen. Eine objektive Wahrnehmung gibt es nicht. Auch psychiatrische Fragebogen können hier nicht helfen, denn sie werden sowohl von Menschen gemacht als auch von ihnen ausgewertet. Was wir aus solchen scheinbar objektiven Fragebogen herauslesen, ist genau das, was wir bei seiner Konstruktion hineingelegt haben. Das beste Instrument, um einen anderen Menschen wahrzunehmen, ist die Repräsentation, die sich ein empathischer anderer Mensch von ihm macht.

[4] Martin Buber: Elemente des Zwischenmenschlichen. In: Das dialogische Prinzip.

Wie Untersuchungen der Hirnaktivität mit modernen bildgebenden Verfahren zeigen, tragen verschiedene Nervenzellnetze die Elemente des Bildes, das sich das Gehirn von einer Person macht, zusammen[5]: untere prämotorische Hirnrinde (Handlungsabsichten), untere parietale Hirnrinde (Körperempfindungen und umfassendes Ich-Gefühl), Insula (Kartierung von Körperzuständen), Amygdala (Angstgefühle) und Gyrus cinguli (Lebensgrundgefühl, emotionales Ich-Gefühl). Zusammen erzeugen diese Zentren Abbilder, Repräsentanzen von anderen Personen und dem eigenen Selbst. Neurobiologisch gesehen stehen wir damit vor einer auf den ersten Blick verwirrenden Konstellation: *Nervenzellnetze, mit denen wir uns selbst als Person wahrnehmen, dienen – in ihrer Eigenschaft als Spiegelsysteme – zugleich dazu, in uns Vorstellungen von anderen Personen zu erzeugen.*

Im System der Spiegelneurone begegnen sich die Vorstellungen, die wir von uns selbst haben, und die Bilder, die wir uns von anderen machen. Spiegelnervenzellen sind das neuronale Format, mit dem wir sowohl uns selbst als auch andere Personen wahrnehmen bzw. als Vorstellung abbilden. Die Arbeitsweise der Spiegelneurone zeigt, auf welche Weise wir andere verstehen: Einen Menschen zu erleben geschieht dadurch – man könnte auch sagen: hat zur Folge –, dass etwas ihm Entsprechendes in uns selbst aktiviert wird. Spiegelnervenzellen feuern, wenn wir selbst eine Handlung vollziehen, aber auch dann, wenn wir dieselbe Handlung, ausgeführt von einem anderen Menschen, beobachten. Sie feuern, wenn wir die mit einer bestimmten Situation verbundenen körperlichen Empfindungen spü-

---

[5] Neuere Studien hierzu haben Jean Decety und andere durchgeführt.

ren, aber auch dann, wenn wir (mit-)erleben, dass sich jemand anders in einer entsprechenden Situation befindet. Sie feuern, wenn wir Emotionen wie Freude oder Angst fühlen, aber auch dann, wenn wir einen Menschen mit solchen Gefühlen sehen. Die Folgen, die sich aus der Resonanz ergeben, gehen aber noch darüber hinaus: Die Aktivierung der Spiegelneurone kann uns faktisch verändern. Die gute (oder schlechte) Laune eines Mitmenschen kann zu unserer eigenen guten (oder schlechten) Laune werden. Die Freude, der Schmerz, die Angst oder der Ekel eines anderen kann in uns selbst Freude, Schmerz, Angst oder Ekel erzeugen.

Wie unterscheidet das Gehirn zwischen Selbst und anderen?

Wie bei so vielem, was wir im Alltag als selbstverständlich betrachten, handelt es sich auch bei der Unterscheidung zwischen Selbst und Nichtselbst um eine Fähigkeit, über die wir erst dann nachdenken, wenn sie bei einem Menschen verloren gegangen ist. Dies geschieht bei bestimmten seelischen Erkrankungen, zum Beispiel in Verwirrungszuständen, wie sie unter Drogeneinwirkung vorkommen oder bei Personen auftreten, die an einer Psychose leiden. Damit gewinnt die folgende, schon einmal gestellte Frage zusätzlich an Bedeutung: Wenn die gleichen neuronalen Formate Vorstellungen über das Selbst und über andere entwerfen, was versetzt uns bzw. unser Gehirn dann in die Lage, zwischen beiden zu unterscheiden? Was schützt uns vor einer Identitätsdiffusion, in der sich das eigene Erleben und das anderer Menschen miteinander vermischen? Die moderne Neurobiologie versucht seit Jahren, diese Frage zu klären. Erste Antworten liegen inzwischen vor.

Das Problem, wie das Gehirn zwischen Selbst und Nichtselbst unterscheidet, ist noch nicht vollständig gelöst. Die bisherigen Daten, wie sie unter anderem von einer Forschergruppe um Jean Decety vorgelegt wurden, zeigen jedoch Folgendes: Das Gehirn bringt die Vorstellungen vom eigenen Selbst und die Bilder, die es von anderen Menschen entwirft, in verschiedenen Hirnhemisphären unter. Wenn das eigene Selbst plant, eine Handlung beabsichtigt bzw. handelt, dann übernimmt die *linke* Gehirnhälfte die Regie. Eigenes Agieren wird in der *linken* Hemisphäre repräsentiert. Vorstellungen anderer Personen haben ihre Repräsentation dagegen in der *rechten* Gehirnhälfte. In der »Körpersammlung« der rechten Hemisphäre findet sich zwar auch der eigene Körper repräsentiert, aber nur so lange, wie das Selbst nicht handelt. Sobald das Selbst zum Akteur wird, kommt die linke Seite ins Spiel.

Es bedurfte teilweise sehr diffiziler Versuchsanordnungen, um an eine Lösung dieses Problems heranzukommen. Es ist keineswegs so einfach, wie es scheint, für eine im Kernspintomographen liegende Testperson Untersuchungssituationen zu entwerfen, in denen man feststellen kann, welche Hirnaktivitäten kennzeichnend sind für die Situation »Ich selbst bin es, der handelt« und welche Regionen, im Vergleich dazu, aktiv werden in einer Situation »Der andere handelt«. So wurde zum Beispiel ein Proband gebeten, die ihm auf einen Bildschirm übertragenen Fingerbewegungen eines anderen selbst nachzumachen. Diese Situation, die bedeutet »Etwas nachmachen, aber *ich* handle«, führte, wie sich zeigte, zu einer Aktivierung der *linken* Gehirnhälfte, und zwar – wie erwartet – der unteren prämotorischen und unteren parietalen Hirnrinde, also dort, wo die

Handlungs- und die Empfindungsneurone sitzen.[6] Für den nächsten Versuch bat man die im Kernspintomographen liegende Testperson, beliebige Bewegungen mit den Fingern zu machen, die von jemand anders imitiert werden sollten. Die im Kernspintomographen liegende Person konnte auf einem kleinen Bildschirm sehen, wie die andere Person ihre Fingerbewegungen nachmachte. Diese Situation, die bedeutete »Etwas nachmachen, aber *der andere* handelt«, hatte eine Aktivierung der *rechten* Gehirnhälfte zur Folge, und zwar wiederum der unteren prämotorischen und parietalen Hirnrinde.[7]

Nur wenn das *Selbst* als handelnde Person auf den Plan tritt, werden Netzwerke der *linken* Seite aktiv. Diese selektive Aktivierung der linken Seite dient offenbar auch einer Rückmeldung: An ihr »erkennt« das Gehirn, dass es sich jetzt um das Selbst handelt. Die *rechte* Hirnhälfte scheint dagegen ein Speicher für die allgemeine Repräsentation von Menschen zu sein.

Die Unterscheidung zwischen Selbst und Nichtselbst kann Störungen erleiden. Fällt die maßgebliche Region der rechten Hirnhälfte[8] aus, zum Beispiel auf Grund einer Verletzung, dann können keine körperbezogenen Vorstellungen aufgebaut werden: Die Betroffenen zeigen Wahrnehmungsstörungen sowohl gegenüber dem Körper anderer

---

[6] Um ein spezifisches Signal zu erhalten, müssen zuvor diejenigen Signale weggefiltert werden, die nur mit dem reinen Sehen und Beobachten sowie mit der reinen Muskelbewegung zu tun haben.

[7] Auch hier muss man, um ein spezifisches Signal zu erhalten, zuvor wiederum diejenigen Signale wegfiltern, die nur mit dem reinen Sehen und Beobachten sowie mit der reinen Muskelbewegung zu tun haben.

[8] Die maßgebliche Region ist der untere Abschnitt der rechten parietalen Hirnrinde.

Menschen als auch gegenüber dem eigenen. Aktiviert man dagegen bei Gesunden die maßgebliche Region der rechten Seite[9], indem man sie elektrisch stimuliert, dann löst dies eine intensive Vorstellung vom eigenen Körper aus, bei der allerdings das Selbstgefühl ausbleibt; vielmehr nimmt man den eigenen Körper wie von außen wahr.[10] Dies ähnelt der Situation von Personen, die unter Drogen stehen oder an einer Psychose leiden. Sie haben manchmal den Eindruck, der eigene Körper sei aktiv, stehe aber nicht unter ihrer Kontrolle.[11] Und tatsächlich lassen solche Personen eine massive Aktivierung der rechten parietalen Hirnrinde erkennen.

Warum wir nicht nur das tun, was wir bei anderen sehen

Handlungen und Verhaltensweisen zu imitieren, die wir bei anderen beobachten, ist ein durch Spiegelneurone vermittelter menschlicher Grundantrieb. Er ist bei Säuglingen und Kleinkindern noch völlig ungehemmt: Was sie bei ihren Bezugspersonen sehen, versuchen sie intuitiv und unwillkürlich nachzuahmen. Das Kind benutzt das Imitationsverhalten nicht nur als eine erste Möglichkeit zur Kommunikation, sondern macht mit dessen Hilfe auch seine ersten Lernerfahrungen. Nach etwa eineinhalb Jahren beginnen

---

[9] Wiederum die rechte untere parietale Hirnrinde.

[10] In der englischen Literatur wird dieses Gefühl als »out of body experience« bezeichnet.

[11] Man bezeichnet dieses Gefühl in der englischen Literatur als »alien control«.

auf Grund der dann erreichten neurobiologischen Reife Hemmungsmechanismen einzusetzen, welche die Imitationsneigung in den darauf folgenden Jahren immer stärker kontrollieren. Bei der Fähigkeit, intuitive Spiegelungs- und Nachahmungsphänomene unter Kontrolle zu halten, spielen bestimmte Partien des Frontalhirns eine entscheidende Rolle. Dies zeigt sich daran, dass Personen, bei denen diese Regionen beschädigt oder in ihrer Funktion behindert sind, häufig zu primitivem Imitationsverhalten zurückkehren. Das gleiche Syndrom tritt manchmal auch bei Menschen auf, die an einer Psychose erkrankt sind.[12]

Doch auch jenseits des Kindesalters bleibt die Imitation eine Grundtendenz menschlichen Verhaltens. Dies zeigt sich an zahlreichen alltäglichen Verhaltensweisen, die wissenschaftlich eingehend untersucht worden sind. Wir übernehmen, vor allem bei erhöhter Sympathie oder wenn wir auf jemanden »eingestimmt« sind, unbewusst körperliche Aktionen anderer Personen. Wir gähnen, wenn andere gähnen, wir spiegeln unwillkürlich den Gesichtsausdruck unseres Gegenübers und ahmen bestimmte Verhaltensweisen nach, etwa indem wir uns am Kopf kratzen, die Beine übereinander schlagen und Ähnliches. Und ab und zu geraten völlig gesunde Erwachsene in bestimmte »Zustände«, in denen die Kontrollmechanismen über die Spiegelneurone nahezu versagen. Ein solcher »Zustand« ist beispielsweise die Liebe.

---

[12] Solche Störungen wurden unter anderem als »environmental dependency syndrome« oder als »imitative behavior syndrome« bezeichnet.

Zusammenfassung

Unser Gehirn verfügt über einen Fundus von inneren Bildern handelnder und fühlender Menschen. Diese Sammlung scheint sich in der rechten Hemisphäre zu befinden. Teilstücke von typischen Handlungs- und Empfindungssequenzen, die angeregt werden, wenn wir jemanden sehen oder erleben, können zu einer inneren Repräsentation dieser Person zusammengesetzt werden. Auch Vorstellungen über den eigenen Körper – soweit er nicht aktiv handelt – befinden sich im Reservoir der rechten Hirnhälfte. Das Gesamtbild bzw. die Gesamtrepräsentanz einer Person wird hier, in der rechten Hemisphäre, offenbar im unteren parietalen Cortex zusammengeführt. Untersuchungen deuten darauf hin, dass unser Gehirn in seiner *rechten* Hälfte die Empfindungen speichert, die im Rahmen typischer menschlicher Situationen auftreten und zu erwarten sind. Die rechte Gehirnhälfte macht dabei zunächst einmal keinen Unterschied zwischen Selbst und anderen. Tritt das eigene *Selbst* als Akteur auf den Plan, werden die entsprechenden Zentren der *linken* Hemisphäre aktiv.

Der gemeinsame Pool von körperbezogenen Handlungsvorstellungen ist die Voraussetzung dafür, dass wir uns gegenseitig intuitiv als Menschen unter Menschen erleben und dass wir unsere Handlungen, Ziele und Empfindungen intuitiv, das heißt vor jedem intellektuell-analytischen Nachdenken, verstehen können. Sobald ein anderer Mensch in unsere Wahrnehmung tritt, spielt er in unserem Gehirn auf dieser Klaviatur.

6.
Spiegelsysteme mit Leidenschaft: Flirt und Liebe

Alles, was Freude macht, für bedenklich zu halten – einer solchen Haltung begegnet man vor allem bei denen, die sich selbst nicht freuen können. In der Liebe ist es ebenso. Bei denjenigen, die sie nicht kennen, lösen Menschen im Liebesglück besorgte Mienen aus. Sollte man hier nicht einen Arzt oder Psychologen zu Rate ziehen!? Keine Frage, bei der Liebe haben wir es, was die Tätigkeit der Spiegelneurone betrifft, mit einem »schweren Fall« zu tun. Die Diagnose ist also ernst. Die Liebe ist eine besonders heftige, zauberhafte Form von neurobiologischer und psychologischer Resonanz. Wer sich nicht intuitiv auf andere einlassen, deren Empfindungen in sich selbst nicht spontan zum Schwingen bringen, Gefühle nicht spiegeln kann, der hat es in der Liebe schwer. In diesem Kapitel will ich keinesfalls den Versuch unternehmen, die Liebe einer neurobiologischen Analyse zu unterziehen; vielmehr soll es zeigen, dass das, was Spiegelneurone möglich machen, zu den tiefsten und beglückendsten menschlichen Erfahrungen gehört. *Wie* die Spiegelzellen Liebe möglich machen, werden wir uns jetzt anschauen.

»Flirting is largely a matter of timing«

Spiegelungen markieren bereits den Anfang jeder Liebesge-schichte, den Flirt. Wenn es Liebe ist, passiert es spontan, intuitiv und ohne jedes Nachdenken[1]: Mit wechselseitigen Blicken signalisieren beide Beteiligte eine besondere Form des Einschwingens auf ein gemeinsames Aufmerksamkeits-ziel. Das Besondere an dieser Art von »joint attention«[2] ist, dass der gemeinsame Fokus der Aufmerksamkeit in den beiden Beteiligten selbst liegt. Dabei spüren beide den be-sonderen »Augenblick« des Gesehen-Werdens.[3] Entschei-dend für den Fortgang dieses Spiels ist, ob sich im Moment der Blickerwiderung ein Minimum an Resonanz einstellt. Sie besteht in einer kurzen, intuitiven Einstimmung des Gesichtsausdrucks, die so unauffällig sein kann, dass sie manchmal von den Beteiligten nicht *bewusst* wahrgenom-men wird – und erst recht nicht von Dritten. In ihrer sicht-baren Variante zeigt sich diese Einstimmung zum Beispiel in einem unwillkürlich, spontan aufgetretenen Lächeln. Ent-scheidend ist jedoch die Resonanz: Wenn eine der beiden Personen sich in einer intuitiv erkennbaren Trauersituation befindet, wird es zu einer anderen Art von Einstimmung kommen, zum Beispiel einer besonderen, in körpersprach-lichen Zeichen ausgedrückten Anteilnahme.

---

[1] Wird das Flirten als bewusste Strategie praktiziert, womög-lich nachdem man einen Ratgeber mit Tipps gelesen hat, ist das Ganze ein Manöver. Wer so vorgeht, setzt etwas in Gang und wun-dert sich dann irgendwann später, dass er bzw. sie kein Gefühl der Liebe spürt.

[2] Das Spiegelphänomen der »joint attention« habe ich im zweiten Kapitel erläutert.

[3] Siehe dazu: Martin Altmeyer.

Flirtende zeigen eine besonders ausgeprägte Form des so genannten Chamäleon-Phänomens. So wird die unbewusste, intuitive Tendenz bezeichnet, die Körperbewegungen der anderen Person zu spiegeln, sich durchs Haar zu fahren, die Beine übereinander zu schlagen etc., wenn sie dies gerade getan hat. Entscheidend ist nicht, *was* gemacht wird, sondern dass es sich gemeinsam einstellt, dass Resonanz entsteht. »Flirting is largely a matter of timing.« Dass dieser Satz von einem Säuglingsforscher[4] stammt, ist nur scheinbar merkwürdig. Denn vieles, was sich zwischen Verliebten – ohne jede Absicht und Planung – ereignet, ähnelt dem »kommunikativen Tanz« zwischen Mutter und Säugling, den Säuglingsforscher wie Mechthild und Hanus Papousek oder die Gruppe um Andrew Meltzoff beschrieben haben. Was wir später für intuitive Kontakte brauchen, beginnt in der Wiege zu keimen. »Ausstrahlung ist das Ergebnis eines immer währenden Dialogs, der sehr früh im Leben seinen Anfang nimmt« – so hat es die Autorin und Psychotherapeutin Irmtraud Tarr zu Recht formuliert.

Die Funktion der Spiegelneurone in Sachen Liebe endet nicht beim Flirt. Ein wesentliches Moment der Liebe besteht darin, dass wir die Befindlichkeit, die emotionale Gestimmtheit und die Wünsche des geliebten Menschen wahrnehmen, dass wir dies spiegeln und dann durch eine Geste oder Handlung darauf reagieren, sodass die oder der andere Resonanz und Zuneigung spürt. Dabei handelt es sich um einen ganz überwiegend intuitiven, ohne das Gefühl der Mühe, auch ohne gedankliche Turnübungen und Willensakte ablaufenden Vorgang. In der Liebe kommt es

---

[4] Andrew Meltzoff.

zu einer besonders starken Aktivierung neuronaler Netzwerke, die in uns selbst in spiegelnder Weise zum Schwingen bringen, was der andere gerade fühlt oder was ihn bewegt.

Das Geheimnis der Liebe scheint in der spontan und
mühelos ausgeübten Kunst zu liegen, sich auf den anderen
einzustimmen. Dieser Vorgang hat zwei Komponenten:
Zum einen wird er von der Gabe getragen, die Situation
des geliebten Menschen zu »lesen«, also zu spüren, was ihn
oder sie bewegt, zum anderen durch die Bereitschaft, die
durch den anderen ausgelöste Resonanz zu »markieren«,
das heißt mit einer eigenen verstärkenden oder ergänzenden Note zu versehen. Dies gilt sowohl in Situationen der
Freude als auch für das Erleben von Leid. Die Neugier von
Forschern macht selbst hier keinen Halt, wie ein bereits an
früherer Stelle erwähntes Experiment zeigt: So wurde den
Frauen von Paaren, die in enger Partnerschaft miteinander
verbunden waren, an einer Hand ein Schmerzreiz zugefügt, während man ihre Hirnaktivität im Rahmen einer
Kernspintomographie sichtbar machte. In einem zweiten
Durchgang verschonte man die in der Untersuchungsröhre liegenden Frauen und zeigte ihnen auf einem kleinen Videobildschirm, wie – eine Live-Übertragung besonderer Art – ihren Partnern an der Hand der gleiche
Schmerz zugefügt wurde, den sie gerade selbst erlebt
hatten. Die funktionelle Kernspintomographie zeigte,
dass Schmerzzentren des Gehirns sowohl dann reagierten,
wenn selbst Schmerz erlebt, als auch dann, wenn der
Schmerz des Partners »nur« miterlebt wurde.[5] Auf neuro-

_____

[5] Dieses Experiment wurde von Tanja Singer und Kollegen durchgeführt.

biologischer Resonanz beruhende körperliche Mitreaktionen zeigen sich bei Liebenden nicht nur im Schmerz, sondern in allen Lebenslagen.

Wie sich Liebende gegenseitig sehen

Nicht jedes Foto, das jemand von uns gemacht hat, löst unsere Begeisterung aus. Auch bei der gegenseitigen Wahrnehmung macht sich das menschliche Gehirn vom anderen ein Bild. In der Liebe spielt die innere Abbildung des Partners eine besondere Rolle. Doch was ist es eigentlich, was wir am geliebten Menschen wahrnehmen? Sehen wir wirklich ihn selbst, oder lieben wir nur das, was unsere Resonanz uns von ihm wiedergibt? Dass wir Menschen intuitiv verstehen können, ergibt sich, wie ich gezeigt habe, aus der neurobiologischen Resonanz, die sie in uns auslösen: Um andere zu verstehen, aktivieren wir die gleichen neuronalen Systeme, mit denen wir unsere eigenen Gefühle erleben. Dies ist die einzige Art und Weise, wie wir überhaupt emotional verstehen können. Spiegelneurone sorgen dafür, dass die Empfindungen, Handlungen und Absichten des anderen Menschen auf unserem eigenen inneren Instrumentarium nachgespielt werden. Love it or leave it: Ohne die eigenen Schemata gäbe es *überhaupt* kein intuitives Verstehen des Partners. Wir müssten dann unser Bild, das wir uns von einem anderen Menschen machen, mit erheblichem intellektuellen Aufwand konstruieren – solche Beziehungen gibt es, aber sie sind keine sehr romantischen Geschichten.

Da wir eigene Schemata benutzen müssen, um jemanden intuitiv zu verstehen, fließt bei diesem Vorgang – gezwungenermaßen – immer eine Menge eigenes Material in die Wahrnehmung des Partners ein. Wir malen den geliebten Menschen mit unserem eigenen Farbkasten. Irgendwann hören wir dann: »Du projizierst etwas in mich hinein!« Die einzig richtige Antwort wäre dann allerdings: »Das haben wir beide von Anfang an gemacht, sonst hätten wir überhaupt keine Liebesgeschichte!« Etwas in einen anderen Menschen hineinzuprojizieren gilt unter psychotherapeutisch angehauchten Menschen fast schon als Verbrechen. Kein Geringerer als der brillante Schweizer Paartherapeut und Buchautor Jürg Willi betont bei allen sich bietenden Gelegenheiten, dass wir in jeder Liebesbeziehung immer auch projizieren (müssen). Für diese Ansicht kommt ihm aus neurobiologischer Sicht volle Unterstützung zu. Wir können in diesem Dilemma nichts anderes tun, als uns in einer Liebesbeziehung des Gefangen-Seins in eigenen Schemata bewusst zu bleiben. Die Kunst der Liebe besteht hier darin, innezuhalten, falls der Partner / die Partnerin sagt, dass er / sie sich von uns nicht richtig verstanden fühlt, und nicht darauf zu beharren, dass wir den anderen Menschen besser verstehen als er / sie sich selbst. Sicher: Es *kann* durchaus einmal sein, dass ein Partner den anderen besser versteht, als er / sie selbst es tut. Es *muss* aber nicht so sein – und meistens ist es auch nicht so.

Liebespartner finden sich regelmäßig an jenem Punkt wieder, an dem die Bilder, die sich beide voneinander machen, nicht übereinstimmen. Sowohl die Intuition als auch die reflexive Analyse können hier an ihre Grenzen stoßen. Was den beiden Partnern nun allein helfen kann, ist das Gespräch, das heißt die explizite Verständigung über das, was beide intuitiv fühlen. Die zu findende »Wahrheit« liegt dabei nicht auf einer Seite, oft nicht einmal stückweise. Die Wahrheit liegt vielmehr in dem, was Martin Buber als »das dialogische Prinzip« bezeichnet hat. Es ist eine Wahrheit, die gemeinsam gesucht und entdeckt werden muss. Dafür erforderlich ist, dass beide Partner sich die Möglichkeit offen halten, am anderen – und an sich selbst – noch etwas entdecken zu können, was sie so noch nicht kannten.

Veränderung in der Liebe und Störungen der Balance

Auch eine so wunderbare Droge wie die Liebe hat ihre »Risiken und Nebenwirkungen«. Starke Spiegeleffekte, wie sie in der Liebe auftreten, haben nicht nur zur Folge, dass wir uns auf die Vorstellungen, Absichten oder Gefühle des geliebten Menschen einstimmen. Wir werden durch den Liebespartner ein Stück weit – auch neurobiologisch – tatsächlich verändert.[6] Solange die Liebe lebendig ist, empfinden beide Partner dieses Sich-auf-den-anderen-Einlassen meistens als Glück. Doch können sich auch Schieflagen ergeben. Der Wunsch, dem anderen in seinen Absichten, Ansichten und Empfindungen nahe zu sein und sich entsprechend einzustimmen, kann so massiv werden, dass die eigene Identität in Frage gestellt ist – jedenfalls das, was bisher als die Identität der betroffenen Person galt.

Solange die in der Liebe via Spiegelneurone ausgelösten Selbst-Veränderungen die Verliebten glücklich machen, steht alles zum Besten. Problematisch wird es, und das spüren die Betroffenen dann irgendwann auch selbst, wenn sich das Schema ausbildet, dass sich regelmäßig nur einer

---

[6] Die psychologischen Aspekte dieser Veränderung finden sich unter anderem bei Judith Butler beschrieben.

der beiden Partner auf den anderen einstimmt, nicht aber umgekehrt. Wenn ich niemals die Erfahrung mache, dass der Partner (die Partnerin) Freude daran hat, sich auf meine Absichten, Stimmungen oder Gefühle einzulassen, und wenn es stattdessen immer nur an mir ist, auf den Partner einzugehen, dann lässt die Freude an der Beziehung nach. Wird ständig nur von *mir* erwartet, mich zum Partner hin zu verändern, dann geht meine Identität verloren. Viele Liebende, vor allem solche, die den Streit fürchten und um des lieben Friedens willen immer als Erste nachgeben, haben sich an einen solchen Zustand derart gewöhnt, dass sie die Schieflage gar nicht mehr spüren.

In jeder zwischenmenschlichen Beziehung, und in der Liebe am meisten, geht es darum, ob *beide* Partner sich wechselseitig aufeinander einspiegeln oder ob nur einer von beiden bestimmt, welche Ansichten, Stimmungen und Gefühle zu gelten haben. Das Machtgefälle in Beziehungen ist dabei nicht immer so gelagert, wie es nach außen hin aussieht. Die Dominanz muss zum Beispiel keineswegs immer beim stärker extrovertierten Partner liegen, auch wenn es im Umfeld so scheinen mag. Manchmal sind es gerade die Gehemmten oder Gefühlsscheuen, die dem Partner ihren Stil aufzwingen. Oft werden die emotional offeneren, kommunikativeren Partner in einer solchen Konstellation gleichsam ausgebremst. Sie finden sich in einer Art Täterrolle wieder, so als wäre ihre Extrovertiertheit schuld an der Schüchternheit des anderen. Sicher, auch dies kann einmal zutreffen, es muss aber nicht so sein. Dauerhafte Dysbalancen, wie sie sich in vielen Partnerbeziehungen beobachten lassen, belasten nicht nur die Beziehung. Sie sind ein häufiger Ausgangspunkt für seelische Störungen und begünstigen körperliche Erkrankungen.

Damit Liebe sich entwickeln und vertiefen kann, bedarf es einiger Voraussetzungen, die man nicht in einem Kurs erlernen kann. Eine länger dauernde Entwicklung der Liebe zuzulassen heißt, Spannungen aushalten und Enttäuschungen hinnehmen zu können, damit neue beglückende Erfahrungen möglich werden. Doch die Leidensfähigkeit sollte ihre Grenzen haben. Es gibt Paare, die das Glück, sich in wechselseitiger Spiegelung zu erleben, immer wieder neu erschaffen und die Liebe manchmal ein Leben lang lebendig erhalten. Doch auch das Gegenteil kommt vor: Paare, die sich, nachdem die Begeisterung nachgelassen hat, über Jahre langweilen oder sich gar das Leben zur Qual machen. Wenn die Freude verflogen ist, sich auf den Partner spiegelnd einzuschwingen, ist es um die Liebe nicht mehr gut bestellt. Interessant ist, was sich in Beziehungen, die an diesem Punkt angekommen sind, beobachten lässt.

Paare, deren Liebe zerronnen ist, fallen durch ein Fehlen spiegelnder Verhaltensweisen auf. Sie lassen wesentliche Kennzeichen vermissen, die für das Spiegelgeschehen typisch sind. Ein klassisches Zeichen dafür ist das Ausbleiben der gemeinsamen Aufmerksamkeit: Das Interesse des einen Partners wurde spontan auf einen Fokus gelenkt, beim anwesenden anderen Partner herrscht Funkstille. Wo sich regelmäßig keine spontane »joint attention« mehr einstellt, ist der emotionale Kontakt verloren gegangen. Eine besondere Variante der »joint attention« ist die direkte Begegnung im Blick, die unmittelbarste Form, mit der sich Menschen anzeigen, dass sie dem anderen eine Bedeutung geben und dadurch mit ihm in innerem Kontakt stehen. Paare, deren Liebe in Not geraten ist, weichen der Blickbegegnung

– auch dies ist ein spontanes, intuitives Geschehen – systematisch aus. Am Ende der Liebe zeigt sich die Körpersprache des Kontaktabbruchs. Sie besteht aus verschiedenen Zeichen, die auch von Säuglingen eingesetzt werden[7] und darüber hinaus sogar bei Affen zu beobachten sind. Diese Zeichen werden vom *optischen Aufbereitungs- und Interpretationssystem (STS)*[8] des Gehirns spontan und intuitiv als Wunsch interpretiert, den Kontakt nicht fortzusetzen. Vor jedem gesprochenen Wort sind es solche aus der Körpersprache kommenden Signale, die uns, lange bevor wir den Grund wissen, intuitiv spüren lassen, dass mit der Liebe etwas nicht stimmt.

Paare, die an diesem Punkt angekommen sind, befinden sich meistens in einer Sackgasse der Hilflosigkeit. Man spürt, es hapert mit der Liebe, weiß aber nicht, woran es ihr mangelt und wie man damit umgehen soll. Paare, die nur lose gebunden waren, geben dann eher auf und versuchen es vielleicht mit neuen Partnern. Paare, bei denen eine feste Bindung entstanden ist oder die eine gemeinsame Verantwortung, zum Beispiel für Kinder, tragen, würden wohl gern aus ihrer Sackgasse herausfinden, wissen aber nicht, wie. Was das Dilemma erschwert, ist, dass viele Menschen in ihrer Entwicklung keine ausreichenden Gelegenheiten hatten, Gefühle bewusst wahrzunehmen, und nicht lernen konnten, über emotionale Dinge zu sprechen. Sie finden keinen Zugang zum »dialogischen Prinzip« Martin Bubers. Hier kann eine (zum Beispiel familientherapeutische) Beratung eine entscheidende Hilfe sein, selbst dann, wenn sich dabei für beide am Ende herausstellen sollte, dass eine Trennung der bessere Weg ist.

---

[7] Siehe zum Beispiel die »still face procedure« (Kapitel 3).
[8] Siehe Kapitel 2.

7.
Der intersubjektive Bedeutungsraum:
Soziale Gemeinschaft und sozialer Tod

Die Erfahrung, aus der menschlichen Gemeinschaft ausgestoßen zu werden, aus dem sozialen Resonanzraum herauszufallen, hat nachgewiesene neurobiologische Effekte. Es kann Krankheit, im Extremfall den Tod bedeuten, wie sich überall dort zeigt, wo Personen von der Gemeinschaft absichtsvoll und auf Dauer ausgegrenzt werden. Ausgrenzung bedeutet die systematische Verweigerung der spiegelnden Verhaltensweisen im Alltag, mit denen wir uns unwillkürlich gegenseitig anzeigen, dass wir den anderen als zugehörig zum gemeinsamen sozialen Bedeutungsraum betrachten. Sie betreffen alle Varianten der Spiegelung: Verweigert werden zunächst einmal intuitive körpersprachliche Signale wie die kurzen Resonanzreaktionen im Vorübergehen oder die verschiedenen Verständigungsmöglichkeiten durch den Blick. Wenn solche Signale ausbleiben, fühlt sich der Betroffene wie von einer Eiswand umgeben. Weiterhin entfällt bei Ausgrenzungsaktionen die »joint attention«, also das Eingehen auf das, worauf der ausgestoßene Mensch seine Aufmerksamkeit richtet oder worauf er uns aufmerksam machen will. Verweigert werden sodann, und hier beginnen die größeren Kaliber, reziproke Reaktionen im Gesprächsverhalten, indem das, was der andere angesprochen oder als Frage in den Raum gestellt hat, übergangen wird, als wäre es nicht geäußert worden.

Spiegelneurone sind das neuronale Format für einen über-individuellen, intuitiv verfügbaren, gemeinsamen Verständnisraum. Dieser bildet einen Korridor, in dessen Bandbreite sich die neuronalen Programme befinden für all das, was die Mitglieder einer sozialen Gemeinschaft als mögliches bzw. vorstellbares Erleben und Verhalten ansehen. Das System der Spiegelneurone ist einerseits in jedem Individuum präsent. Es bildet aber zugleich ein *gemeinsames Vielfaches*[1], eine Art Pool, in dem die Programme für alle Handlungs- und Erlebensmöglichkeiten gespeichert sind, die innerhalb des jeweiligen sozialen Gefüges prinzipiell möglich und gangbar sind. Spiegelneurone stellen einen gemeinsamen sozialen Resonanzraum bereit, weil das, was ein Individuum empfindet oder tut, bei den anderen, unmittelbar beobachtenden Individuen zu einer spiegelnden Aktivierung ihrer neuronalen Systeme führt, so als würden sie selbst das Gleiche empfinden oder die gleiche Handlung ausführen, obwohl sie tatsächlich nur Beobachter sind. Daraus, und nur daraus, ergibt sich das unmittelbare, unreflektierte Gefühl einer Art Seelenverwandtschaft: »Ich bin im Prinzip so wie die anderen, und andere sind im Grunde so wie ich.« Welche Bedeutung dieses Gefühl hat, entdecken wir erst, wenn es uns abhanden kommt. Es zu haben ist alles andere als selbstverständlich. *Dass* wir es haben (können), verdanken wir den Spiegelnervenzellen. Wenn Signale spiegelnder Reso-

---

[1] Den Begriff des von den Spiegelneuronen gebildeten »gemeinsamen Vielfachen«, englisch: »the shared manifold«, hat Vittorio Gallese geprägt.

nanz auf einmal ausbleiben, ist daher das Gefühl der sozialen Zugehörigkeit und Identität in Frage gestellt, das Individuum bewegt sich plötzlich in einer Art luftleeren Raum.

Experimentelles Mobbing

Soziale Isolation ist für die Betroffenen nicht nur eine psychologische Katastrophensituation, sie schlägt auch auf die Biologie des Körpers durch. Soziale Zuwendung hat, wie unter anderem Jaak Panksepp und Thomas Insel zeigen konnten, die Ausschüttung wichtiger Botenstoffe zur Folge, unter ihnen endogene Opioide, Dopamin und Oxytocin. Dies lässt darauf schließen, dass der Empfang einer Mindestdosis von verstehender Resonanz ein elementares biologisches Bedürfnis ist, ohne das wir letztendlich gar nicht leben können. Dass der menschliche Organismus irritiert reagiert, wenn er keine spiegelnden Rückmeldungen mehr erhält, zeigt sich bereits beim Neugeborenen. Kaum etwas anderes führt beim Säugling zu einer stärkeren Rückzugs- und Ablehnungsreaktion als die schon geschilderte »still face procedure«, bei der die Bezugsperson das Kind eine Zeit lang ohne jede emotionale mimische Regung anstarrt. Man könnte dieses Experiment (siehe Kapitel 3) als Mobbing an der Wiege bezeichnen. Säuglinge von Säugetieren einschließlich des Menschen, die einem länger dauernden Mangel an Zuwendung ausgesetzt werden, reagieren nicht nur mit einer massiven Hochregulation, sondern auch mit einer dauerhaften Empfindlichkeitserhöhung ihrer Stress-Gene.[2] Der Stau-

---

[2] Zu den sofort in ihrer Aktivität hochregulierten Genen gehört das Stress-Gen CRH (Corticotropin Releasing Hormone). Untersu-

fer-Kaiser Friedrich II. (1194–1250) ließ Kinder von Ammen aufziehen, denen es verboten war, mit ihnen zu sprechen. Er wollte herausfinden, welche Sprache diese Kinder sprechen würden. Sie starben.

Zurück zu den Erwachsenen. Dass ein plötzlicher sozialer Ausschluss nicht nur psychologische Effekte hat, sondern auch auf die Neurobiologie durchschlägt, zeigt ein von Naomi Eisenberger durchgeführtes Experiment mit Erwachsenen: Man untersuchte Testpersonen, die in der Röhre eines Kernspintomographen lagen und mittels eines Joysticks auf einem Computerbildschirm Bälle spielen konnten. Zwei Mitspieler saßen in einem anderen Raum an separaten Rechnern, alle drei Computer waren miteinander vernetzt. Die Versuchsperson sollte sich nun mit den anderen beiden auf dem Bildschirm Bälle zuspielen. Man sagte ihr, die beiden Mitspieler seien ebenfalls Testpersonen und man wolle untersuchen, wie das Gehirn beim Spielen reagiere. Sonst gab es keine Informationen. Man ließ das Spiel nun eine Zeit lang laufen, die beiden Mitspieler spielten der Versuchsperson etwa genauso oft die Bälle zu, wie sie sich gegenseitig mit einem Zuspiel bedachten. Doch plötzlich, dies war Teil des Experiments, änderte sich das Verhalten der unsichtbaren Mitspieler. Sie spielten sich, unerklärlich für die Versuchsperson, nur noch gegenseitig die Bälle zu und schlossen die Versuchsperson damit vom Spiel aus. Eine in dieser Situation angefertigte Aufnahme des Gehirns zeigte eine Aktivierung der Schmerzzentren, wie sie normalerweise nur zu beobachten ist, wenn man jeman-

---

chungen von Ian Weaver und Michael Meaney zeigen: Säuglinge, die einen wiederholten schweren Entzug von Zuwendung erlebt haben, behalten von dieser Erfahrung eine lebenslange Erhöhung der Empfindlichkeit ihrer biologischen (!) Stressantwort zurück.

dem »echten« Schmerz zufügt. Das Experiment zeigt, dass ein rein *sozialer* Ausschluss eindeutig *biologische* Effekte nach sich zieht. Nachträgliche Information: Die beiden »Mitspieler« hatte es, wie die Testpersonen hinterher erfuhren, real gar nicht gegeben.

Die Folgen fehlender Spiegelung: Biologische Zerstörung durch soziale Isolation

Erfahrungen von sozialem Bedeutungsverlust oder von Ausstoßung bietet das Leben in verschiedenen Darreichungsformen und Dosierungen an. Eine leider relativ alltäglich gewordene Variante ist die ungewollte Arbeitslosigkeit, die den Betroffenen eine besonders bedeutsame Bühne sozialer Resonanz entzieht. Ein ähnliches Ereignis ist der Übergang in den beruflichen Ruhestand, in dessen unmittelbaren Gefolge die Sterberaten überdurchschnittlich ansteigen. Die systematische Verweigerung sozialer Resonanz am Arbeitsplatz, das so genannte Mobbing, ist mittlerweile als bedeutsamer Krankheitsfaktor erkannt und anerkannt, was nicht überraschen kann, da der »Zweck« des Mobbing ja gerade darin besteht, eine Person zu zermürben und zu zerstören. Aus der Perspektive neuester Studien, die einen hohen Anteil von psychopathischen Persönlichkeiten unter den Führungseliten ergaben, wird die Mobbing-Problematik wohl eher noch zunehmen.[3] Trotzdem: Es gibt und gab Schlimmeres als Mobbing. Wer jemals erlebt oder miterlebt hat, was es für einen Menschen bedeu-

---

[3] Dies ergab unter anderem eine Untersuchung des US-Wirtschaftspsychologen Paul Babiak.

tet, von allen spiegelnden Gesten und Verhaltensweisen abgeschnitten zu sein, der mag ermessen, was die ganz alltäglichen Feindseligkeiten für verfolgte Minderheiten bedeutet haben und bedeuten. Der Philosoph Claude Lévi-Strauss hat diesen zerstörerischen Vorgang so beschrieben: »Man bleibt dem Verdammten fern, man verhält sich ihm gegenüber, als sei er nicht nur bereits tot, sondern ein Gefahrenherd für die Umgebung. Bei jeder Gelegenheit und durch alle Verhaltensweisen legt die Gesellschaft dem unglücklichen Opfer den Tod nahe, das dem, was es für sein unvermeidliches Los hält, gar nicht mehr entgehen möchte. Die physische Existenz setzt der Auflösung der sozialen Existenz keinen Widerstand mehr entgegen.«

Zu den eindrucksvollsten Beispielen, was ein gezielter und vollständiger Ausschluss aus dem sozialen Spiegelungs- und Resonanzraum bewirken kann, zählt der Voodoo-Tod in einigen so genannten primitiven Völkern, der 1942 erstmals vom renommierten US-Mediziner, Endokrinologen und Stressforscher Walter B. Cannon, später von zahlreichen weiteren Medizinern und Psychologen beschrieben und untersucht wurde. Übertritt in einem solchen Volk ein Stammesmitglied ein heiliges Verbot, ein Tabu, dann führt dies zu einem Urteil, das den Betroffenen vollständig aus der Gemeinschaft ausschließt. Man gibt ihm den Auftrag zu sterben. Diese allumfassende Verstoßung hat zur Folge, dass der verzweifelte Betroffene ohne sonstige äußere Einwirkung tatsächlich innerhalb kurzer Zeit stirbt.

Todesfälle nach extremer sozialer Beschämung und Verachtung werden auch in westlichen Ländern in der wissenschaftlichen Literatur beschrieben. Der angesehene Ulmer Psychosomatiker Horst Kächele erwähnt in einer Übersichtsarbeit zum Thema psychogener Tod eine größere

Zahl eindrucksvoller Fälle von plötzlichem, organpatho-logisch nicht erklärbarem Tod im Zusammenhang mit extrem gelagerten sozialen Ausschluss- oder Beschämungs-situationen. Als Erklärung für die massiven biologischen Effekte sozialer Isolation vermutet man extreme Alarm-reaktionen, insbesondere übersteuerte Aktivierungen des sympathischen und parasympathischen Nervensystems, mit der Folge von tödlichen Entgleisungen der Regulation von Blutzucker, Stresshormonen, Herz und Kreislauf. Dass ein emotionaler Schock bei sonst völlig herzgesunden Men-schen, verursacht durch eine massive Überaktivierung des sympathischen Nervensystems, ein totales Herzversagen auslösen kann, wurde kürzlich durch Ilan Wittstein und Kollegen eindrucksvoll nachgewiesen.

Damit sind wir bei einer zentralen Frage angelangt. Wie ist es zu erklären, dass der Ausschluss von sozialer Reso-nanz derart massive biologische Effekte nach sich zieht? Die Antwort erhalten wir, wenn wir uns nochmals verge-genwärtigen, dass uns die Spiegelsysteme, da sie die Pro-gramme für vollständige Handlungssequenzen enthalten, in jeder gegebenen Situation des Alltags eine intuitive Ein-schätzung ermöglichen, wie sich eine Situation weiterent-wickeln wird. Spiegelneurone vermitteln spontane und in-tuitive Informationen darüber, welche typischen weiteren Sequenzen zu den jeweiligen Signalen gehören, die wir ge-rade empfangen. Nehmen wir ein Beispiel: Eine berufstä-tige Frau wird am Spätnachmittag von ihrem Partner von der Arbeit abgeholt. Das freundlich lächelnde Gesicht des am Auto wartenden Mannes wird bei ihr, während sie ihm entgegengeht, nicht nur – emotionale Ansteckung – zu einer Aufhellung ihrer Stimmung führen. Sein Lächeln ist für sie zugleich das intuitiv wahrgenommene Vorzeichen für einen bestimmten nachfolgenden Ablauf der Dinge, in diesem Fall für einen angenehmen Ausklang des Tages. Auch eine versteinerte Meine würde – via Spiegelneurone – in der Frau spontan die Vorstellung einer dazugehörigen Abfolge von Ereignissen erzeugen.

Spiegelungsvorgänge sind die Voraussetzung dafür, dass wir Signale wahrnehmen und deuten können. Das soziale Umfeld muss mir die Signale zur Verfügung stellen, welche die Spiegelsysteme benötigen, um die dazugehörigen Programme zu aktivieren. Nur dort, wo soziale Resonanz zugelassen wird, können uns Spiegelungsvorgänge Informationen liefern, die wir brauchen, um die Abläufe der äußeren Welt, insbesondere die Verhaltensweisen der Menschen in unserer Umgebung, innerhalb einer gewissen Bandbreite einschätzen zu können. Indem wir uns im Alltag spontan, unwillkürlich und ohne jedes Nachdenken fortlaufend einzelner Spiegelungen bedienen, machen wir die weitere Entwicklung von Situationen, in denen wir uns befinden, *vorhersehbar* und *berechenbar*. Vorhersehbarkeit und Berechenbarkeit sind die Grundlage dessen, was wir *Vertrauen* nennen.

Spiegelneurone als soziales Orientierungssystem

Das System der Spiegelneurone ist ein soziales Orientierungssystem. Es gibt uns, zumindest in Maßen, Sicherheit im sozialen Umfeld. Und nun wird klar, was es bedeutet, wenn das Orientierungssystem ausfällt, dem wir die Vorhersehbarkeit unseres Umfelds verdanken. Eine solche Situation bedeutet Unberechenbarkeit und Gefahr. In jeder Gefahrensituation aktiviert der Körper eine größere Zahl von Abwehrmechanismen, die zusammenfassend als biologische Stressreaktion bezeichnet werden. Systematischer sozialer Ausschluss ist somit chronischer biologischer Stress, und chronischer Stress ist ein Krankheits- und Selbstzerstörungsprogramm. Biologische Selbstzerstörungsprogramme, die unter bestimmten Bedingungen aktiviert werden, sind ein überall in der Natur anzutreffendes Phänomen. Selbst einzelne Zellen verfügen über die Option, Gene anzuschalten, um die eigene Selbstzerstörung, »Apoptose« genannt, in die Wege zu leiten. Einen ganz ähnlichen Mechanismus gibt es bei Nervenzellen des menschlichen Gehirns. Überhöhte Konzentrationen körpereigener Alarmbotenstoffe wie Glutamat und Cortisol können den Tod von Nervenzellen bewirken.

Geradezu unheimlich muten psychologisch angebahnte Selbstzerstörungseffekte an, die nach Erfahrungen sozialer Zurückweisung auftreten. Die bekannteste Spielart solcher Programme ist der Suizid.[4] Als Suizidauslöser sind seit langem – das wusste schon Goethe – soziale Kränkungen und / oder der Verlust einer bedeutsamen Bezugsperson bekannt. Erst in den letzten Jahren hat man herausgefunden, dass auch Menschen mit schweren körperlichen Gewalterfahrungen, bei denen die erlittene Tat zu einer Zerstörung der persönlichen Integrität und des Selbstwertgefühls geführt hat, *intuitive* (!) Impulse erleben, sich umbringen zu müssen. Bei Personen, die eine traumatische Erfahrung gemacht haben, ist das Risiko nachgewiesenermaßen objektiv erhöht, impulsiv Suizidhandlungen zu begehen. Weshalb Suizidalität? Suizidhandlungen für eine »natürliche« Folge schlimmer Erfahrungen zu halten gehört zu jenen implizi-

---

[4] Der Suizid ist nicht das einzige Selbstzerstörungsprogramm, das psychologisch angebahnt wird. Andere Programme, beispielsweise die Sucht, realisieren einen »Suizid auf Raten«.

ten Gedankenlosigkeiten des Alltags, von denen bereits die Rede war, und ist alles andere als eine Erklärung, sondern schlicht eine Binsenweisheit, an die wir uns gewöhnt haben.

Warum also erhöhen Erlebnisse sozialer Enttäuschung, Zurückweisung, Verachtung und Gewalt das Risiko der Suizidalität? Die Antwort könnte darin liegen, dass die negative Erfahrung, die einer Person zugestoßen ist, in ihr ein Handlungsprogramm aktiviert hat und dass dieses Programm nun zu Ende führen möchte, was die erlittene Erfahrung nicht zu Ende gebracht hat: die Zerstörung der eigenen Person. Die Aktivierung eines Programms, das – in der eigenen Vorstellung – den vollständigen Ablauf einer Sequenz aufscheinen lässt, die durch eine Erfahrung nur angedeutet bzw. in die Wege geleitet wurde, dies ist die geradezu typische Leistung der Spiegelsysteme.

Nehmen wir eine Extremerfahrung, um deutlich zu machen, worum es geht: Was bedeutet die Tat eines Menschen, der einem anderen schwere Gewalt zugefügt hat? Welche Handlungsprogramme treten im Opfer nach einem erlittenen Gewaltakt in Resonanz? Eigenartigerweise werden bei Opfern überwältigender Gewalt meist keine Programme für Revanche oder Rache aktiviert (was Außenstehende oft nicht verstehen können). Das »Programm« einer Gewalttat hat die Botschaft: Du bist nichts wert, ich kann dich behandeln wie eine wertlose Sache, man darf und sollte dich zerstören. Im Verlauf einer Überwältigungstat geht das Handlungsprogramm des Täters, über die *unvermeidliche* spiegelnde Aktivierung neuronaler Handlungsprogramme im Opfer, vom Täter auf das Opfer über. Dieser Vorgang läuft komplett unbewusst ab. Auch seine Folgen sind unwillkürlich und dem Bewusstsein entzogen: Wie Traumatherapeuten immer wieder feststellen, spürt das Opfer nach der erlittenen Gewalt eine intuitive Tendenz, selbst das auszuführen bzw. zu Ende zu bringen, was die Tat suggerierte, nämlich eine Suizidhandlung. Erst im Rahmen einer tiefenpsychologisch orientierten Behandlung können wir bei diesen Opfern die unbewusste Identifizierung mit den Vernichtungsabsichten der Täter entdecken und therapeutisch bearbeiten.

Spiegelung im Antlitz des anderen:
Intersubjektivität und Ethik

Angesichts der massiven Auswirkungen des Spiegelungsgeschehens auf die seelische und körperliche Gesundheit, darüber hinaus aber auch wegen seines manipulativen Potenzials stellt sich die Frage, was diese neurobiologischen Erkenntnisse für das Zusammenleben der Menschen bedeuten. Der absichtsvolle, andauernde Entzug der spiegelnden Wahrnehmung und der systematische Ausschluss aus dem Raum der sozialen Zugehörigkeit sind Akte der biologischen Vernichtung. Die Aufdeckung der neurobiologischen Aspekte des Spiegelungsgeschehens bestätigt, was zuvor bereits aus philosophischer Sicht erkannt worden war: *Im Antlitz des anderen Menschen begegnet uns unser eigenes Menschsein.* Erst indem wir uns gegenseitig als Menschen erkennen und anerkennen, werden wir zum Mitmenschen, und erst dadurch erleben wir uns als Menschen. Die Teilhabe an der Welt intersubjektiver Erfahrungen ist ein nicht nur philosophisch, sondern auch neurobiologisch begründetes Menschenrecht (im wahrsten Sinne dieses Wortes). Das zwischenmenschliche Erkennen und Anerkennen systematisch zu verweigern ist ein Akt der Unmenschlichkeit und ethisch verwerflich. So spannt sich von der modernen Neurobiologie in überraschender Weise ein Bogen zu Gedanken von Arthur Schopenhauer, Emmanuel Levinas und Axel Honneth, aber auch zu den modernen Vertreterinnen einer weiblichen Ethik wie Judith Butler, Elisabeth Conradi und Carol Gilligan.

8.
Umwelten für Jugendliche und die Chancen der Schule

Bald werden wir uns vielleicht auch von dieser Vorstellung verabschieden. Im Moment gibt es jedoch noch Leute, die der Meinung sind, dass die Jahre des Heranwachsens einem Menschen dreierlei ermöglichen sollten: 1. zu einem Selbst- und Selbstwertgefühl zu gelangen; 2. die Fähigkeit zu entwickeln, mit anderen Kontakt aufzunehmen und Beziehungen einzugehen, sowie 3. Bildung und berufliche Kompetenzen zu erwerben. Keiner dieser drei Punkte erledigt sich von allein, wie sich bereits daran erkennen lässt, dass eine viel zu große Zahl von Jugendlichen in *wenigstens* einem der drei genannten Bereiche scheitert. Neuere repräsentative Untersuchungen zeigen, dass knapp über fünfzig Prozent der Jugendlichen in Deutschland chronische psychosomatische Gesundheitsstörungen aufweisen.[1] Studien, welche die Rate »harter« psychiatrischer Störungen ermittelten, kommen bei Jugendlichen auf Anteile von über fünfzehn Prozent mit krankheitswertigen Depressionen, Angststörungen, Essstörungen oder Auffälligkeiten aus dem Spektrum der Borderline-Störung. Weniger schwere Störungsbilder liegen statistisch noch darüber. Große Querschnittsuntersuchungen zeigen, dass knapp

---

[1] Siehe unter anderem die »Jugendgesundheitsstudie Stuttgart 2000«.

zwanzig Prozent der Kinder in der Schule ein so genanntes Aufmerksamkeits-Defizit-Syndrom (ADS) aufweisen. Bei der Hälfte dieser Kinder, das heißt bei knapp zehn Prozent der Kinder insgesamt, ist das ADS mit krankhafter Hyperaktivität kombiniert. Schön für die Produzenten von Medikamenten, schlecht für die Kinder.

Die Bedeutung zwischenmenschlicher Beziehungen

Selbstgefühl, Kommunikationsfähigkeit, Wissen und Kompetenz entwickeln sich bei Kindern und Jugendlichen nicht von selbst, sie lassen sich auch nicht anordnen, auch nicht dadurch, dass sie von der OECD oder von Kultusbürokratien zu Standards erklärt werden. Anders, als viele Bildungsexperten nach den PISA-Ergebnissen annehmen, funktioniert ein Kind nicht wie ein Aktenordner, in den man nur die richtigen Blätter einheften muss. Es gibt – entgegen dem, was uns immer wieder suggeriert wird – im Kind auch keine genetischen Programme, die dieses Geschäft von selbst erledigen. Was die Gene bereitstellen, ist eine fantastische neurobiologische Grundausstattung. Sie bedient sich aber nicht von selbst, sie muss bedient und eingespielt werden, und zwar nicht nur, um dadurch in einen funktionstüchtigen Zustand zu kommen, sondern auch mit dem Ziel, diesen Zustand dann zu erhalten.

Alle neueren Forschungsergebnisse zeigen: Die Entfaltung der neurobiologischen Grundausstattung des Menschen ist nur im Rahmen von zwischenmenschlichen Beziehungen möglich, Beziehungen, die aus dem persönlichen und sozialen Umfeld an das Kind herangetragen werden.

Da zwischenmenschliche Beziehungen, mit denen sich ein Zugang zum Kind finden lässt, überwiegend Spiegelungsakte sind, gäbe es ohne Spiegelneurone für die Außenwelt keine Möglichkeit, mit dem Säugling – und später mit dem Kleinkind oder Jugendlichen – in Beziehung zu treten.

Das System der Spiegelneurone gehört zur neurobiologischen Grundausstattung. Allerdings befindet es sich zum Zeitpunkt der Geburt noch in einer unreifen, wenig differenzierten Rohform. Emphathie ist *nicht* angeboren. Werden die Chancen, Beziehungen aufzunehmen, nach der Geburt und in den ersten Lebensjahren verpasst, kann dies die Entwicklung und Funktionstüchtigkeit des neuronalen Spiegelsystems beeinträchtigen, mit der Folge von erheblichen Defiziten bei der Ausbildung eines intakten Selbstgefühls, bei der Fähigkeit, Beziehungen einzugehen, und beim Erwerb von Kompetenzen (siehe Kapitel 3).

Was Bezugspersonen dem Kind zurückspiegeln, beinhaltet für das Kind eine Botschaft über sich selbst. Der britische Psychologe Donald W. Winnicott schrieb: »Wenn ich sehe und gesehen werde, so bin ich.«[2] Erst in den Spiegelungen der Erwachsenen kann ein Kind nach und nach erkennen, wer es selbst ist. Dies ist der Grund, warum es nur dann ein in sich konsistentes, stabiles Selbstgefühl entwickeln kann, wenn ihm Beziehungen zur Verfügung stehen, in denen es sich mit seinen persönlichen Eigenschaften und seinem individuellen Temperament gespiegelt sehen kann.

---

[2] Siehe auch: Martin Altmeyer.

Reizüberflutung, Gewaltmodelle und das kindliche Spiegelsystem

Ein Kind ohne konsistente und stabile Beziehungen, dies ist mittlerweile in Studien belegt, kann sich selbst nicht konsistent und stabil entwickeln. Lebt ein Kind in einer Umgebung, in der es sich fortwährend und in hoher Taktzahl auf wechselnde Reize einstellen muss, wird es Mühe haben, sich auf eine Sache oder auf einen Menschen zu konzentrieren. Reizüberflutungen und hohe Reizfrequenz können sich aus einem fortwährenden Wechsel von Bezugspersonen ergeben, noch mehr aber dadurch, dass über lange Zeitspannen überhaupt keine Bezugspersonen vorhanden sind und das Kind stattdessen vor einem Bildschirm sitzt. Warum Fernsehprogramme für Kleinkinder förderlich sein sollen, bleibt das Geheimnis der Produzenten, die dies behaupten. Neuere Studien belegen, dass der Fernsehkonsum im Kleinkindalter statistisch eindeutig mit dem Risiko einer späteren Aufmerksamkeits- und Hyperaktivitätsstörung (ADHS) korreliert.

Dass unser Land die Zeiten der massenhaften Kriegsbegeisterung hinter sich gelassen hat, dass kriegerische Lösungen stattdessen auf Skepsis und Ablehnung stoßen, kann man nicht hoch genug wertschätzen. Doch sind Gewaltakte im Krieg schlecht, im Kinderzimmer hingegen gut? Die Gleichgültigkeit, mit der wir zulassen, dass das in Videos und Filmen gezeigte Jagen, Quälen und Töten von Menschen für einen Großteil unserer Kinder und Jugendlichen eine prickelnd-amüsante Unterhaltung darstellt, ist erstaunlich. Noch brisanter sind Computerspielprogramme, so genannte »Ego-Shooter-Spiele«, bei denen das spielende Kind in einer hochgradig real aufbereiteten virtuellen

Welt andere Menschen jagen, foltern und umbringen kann. Ein Grund für die Gleichgültigkeit der Erwachsenen ist, dass sie die Videos und Computerspiele nicht kennen, um die es hier geht.

Die Mehrheit der Kinder hat inzwischen einen eigenen Fernseher mit Videogerät in ihrem Zimmer, die meisten verfügen auch über einen PC. Die betroffenen Jugendlichen selbst sehen natürlich keinen Grund, sich zu den Gewaltszenen zu äußern, die sie konsumieren, zumal sie viele Produkte auf Grund einer Alterssperre, an die sich niemand hält, theoretisch gar nicht sehen dürften. Hier hat sich ein auf Massen von Jugendlichen zugeschnittener Markt entwickelt, der sehr hohe Gewinne einspielt. Schön für die Produzenten. Nur: Was bedeutet dies aus neurobiologischer Sicht für die konsumierenden Kinder und Jugendlichen? Neuere, in den weltbesten Journalen publizierte Studien zeigen klar, dass das Ausmaß an täglichem Bildschirmkonsum in direkter und proportionaler Beziehung zu jugendlichem Gewaltverhalten steht.[3]

Aus neurobiologischer Sicht ist der Zusammenhang absolut klar: Das Gehirn ist ein permanent lernendes System. Es macht ausgerechnet dann, wenn es um die für Jugendliche überaus spannende und brisante Darbietung von Gewaltverhalten geht, keine Lernpause. Was wir sehen – dies ist die zentrale Botschaft der Spiegelneuronenforschung –, wird in Nervenzellnetze eingeschrieben, die die Programme für eigene Handlungsmöglichkeiten kodieren. Sicher: Etwas zu sehen bedeutet nicht, die gesehene Handlung auch selbst auszuführen. Dazu sind noch weitere Faktoren erforderlich. Was wir an Handlungen

---

[3] Siehe zum Beispiel neueste Untersuchungen von Jeffrey Johnson und Kollegen.

sehen, wird jedoch als Modell abgespeichert, und es erzeugt, wenn es als Aktion in einem angenehmen, amüsanten oder nützlichen Zusammenhang erscheint, Handlungsbereitschaften.

Neurobiologische Erkenntnisse für die Schule

Welche Konsequenzen ergeben sich aus der Spiegelneuronenforschung für die Schule? Spiegelnervenzellen sind von überragender Bedeutung für alle Lernvorgänge. Sie sind das entscheidende Bindeglied zwischen der Beobachtung eines Vorgangs einerseits und dessen eigenständiger Ausführung andererseits. Spiegelneurone sind die entscheidende neuronale Basis für das seit langem bekannte und ausgiebig erforschte »Lernen am Modell«: Experimente zeigen, dass die Beobachtung einer bestimmten Handlung die Fähigkeit verbessert – und prinzipiell auch die Bereitschaft erhöht –, diese Handlung selbst auszuführen. Diese Übertragungsfunktion der Spiegelneurone beschränkt sich nicht nur auf den reinen Handlungsaspekt, sondern schließt auch andere Komponenten mit ein, die beim Erwerb von Kompetenzen eine Rolle spielen, vor allem sensorische oder emotionale Wahrnehmungen (»Wie fühlt sich das für einen Menschen an?«). Zu beobachten, wie ein anderer sich ein Problem vom Hals schafft, eine Apparatur bedient oder emotional mit einer brisanten Aufgabe umgeht, kann ein entscheidender Beitrag für meine eigene Kompetenz sein, wenn ich selbst die gleiche oder eine ähnliche Aufgabe zu bewältigen habe.

Neurobiologisch gesehen ist beim »Lernen am Modell« die *zwischenmenschliche Beziehung* zwischen Lehrenden und

Lernenden von überragender Bedeutung. Die Spiegelzellen eines Beobachters verweigern, wie Experimente zeigen, jede Aktivität, wenn die beobachtete Handlung nicht von einem lebenden Individuum ausgeführt wird, sondern von einem Instrument, einem Apparat oder Roboter (siehe Kapitel 2). Daraus ist zu schließen, dass die persönliche Unterweisung, auch das Zeigen und Vormachen durch die lehrende Person, eine entscheidende Komponente des Lehrens und Lernens ist. Da Lehrer bzw. Lehrerinnen nie ausschließlich als Stoffvermittler agieren können, sondern immer als ganze Person in Erscheinung treten, wird klar, dass effizientes Lehren und Lernen in der Schule nur im Rahmen einer gelungenen Gestaltung der Beziehung zwischen Lehrern und Schülern möglich ist.

Nicht fehlende Bildungsstandards sind das Grundübel in den Schulen, wie uns die Bildungsexperten seit der PISA-Studie weiszumachen versuchen – so als hätten die Lehrerinnen und Lehrer bisher nicht gewusst, was sie eigentlich unterrichten sollen. Das Hauptproblem liegt derzeit vielmehr darin, dass Lehrende – aus sehr unterschiedlichen Gründen – Schwierigkeiten haben, mit ihren Schülern eine Arbeitsbeziehung zu gestalten, die das Lehren und Lernen fördert.

Das Zeigen, Vormachen und »Lernen am Modell« ist jedoch beim Transfer von Wissen nur der erste Schritt. Das Gehirn betrachtet die Welt aus dem Blickwinkel möglicher *Handlungs*strategien. Deshalb dürfen sich Lernziele in der Schule nicht darauf beschränken, dass Schüler abstraktes Wissen in sprachlich verpackter Form abspeichern und wiedergeben können. Wirkliches und gesichertes Wissen, aber auch Motivation entstehen erst durch das *handelnde* oder *fühlende* Ausprobieren des Gelernten. Wissen, das ohne Zusammenhang mit überzeugenden Aktions-, das heißt Anwendungsmöglichkeiten aufgenommen werden soll, hat in neuronalen Netzwerken, in denen es um nichts anderes als um Handlungsvorstellungen und die dazugehörenden Empfindungen geht, keine Überlebenschance. Die neurobiologischen Systeme, deren wir uns bei der Aufnahme von sprachlich vermitteltem Wissen bedienen, funktionieren nicht wie ein Aktenordner oder Lexikon. Das Gehirn speichert Wissen am optimalsten, wenn es ihm zusammen mit lebensnahen praktischen Handlungserlebnissen angeboten wird. Mathematische Formeln, Daten über Rohstoffvorkommen oder der Wortschatz einer Fremdsprache können in seiner Wahrnehmung großen Charme entwickeln, aber nur dann, wenn es sie in Bezug zu seiner Erfahrungswelt bringen kann.

Aus neurobiologischer Sicht verdienen neuere pädagogische Ansätze, insbesondere jene zum »handlungsorientierten Unterricht«, volle Unterstützung und Ermutigung. Beide Phasen des Lehrens und Lernens sind neurobiologisch sinnvoll: zunächst die vom Lehrenden persönlich gegebene Einführung und Erklärung des Lerngegenstandes, die sich lebensnaher Herleitungen bedienen sollte, dann die Möglichkeit, das Erklärte im Kontext von Anwendungen, die sich eng an der Erfahrungswelt der Schüler orientieren, selbst nachzuvollziehen. Dagegen ist es eine neurobiologisch völlig unsinnige Strategie, Schülergruppen eigenständig neuen theoretischen Stoff mit Hilfe eines Lehrbuchs erarbeiten zu lassen. Was bei einem solchen Vorgehen stattfindet, ist weder »Lernen am Modell« noch eine Anleitung zur selbständigen Anwendung von Wissen. Mit handlungsorientiertem Unterricht, der die Anwendungsbezüge zur Lebenswirklichkeit der Kinder im Auge hat, liegt die Schule jedoch richtig, und dies nicht nur unter dem Aspekt der modernen Neurobiologie, sondern

auch im Hinblick auf die pädagogischen Urväter Comenius
(»… damit alles sich leichter einpräge, möge man alle möglichen Sinnestätigkeiten heranziehen«) und Pestalozzi (»Lernen mit Kopf, Herz und Hand«). Eines muss hier allerdings
einschränkend gesagt werden: Wenn wir die Zahl der Schüler pro Klasse nicht verringern, dann lassen sich diese Vor-
gaben nur schwer realisieren.

Spiegelsysteme und die Entwicklung emotionaler Intelligenz

Weit dramatischer als die derzeit beklagten Defizite des
schulischen Wissenserwerbs sind die Probleme von Schüle-
rinnen und Schülern im Bereich der sozialen Kompetenz,
der seelischen Gesundheit und des Verhaltens. Die negati-
ven Folgen, die sich aus diesen Problemen ergeben, sind
vielfältig: Sie führen zu einer zunehmend destruktiven Unterrichtssituation, setzen Jugendliche in wachsendem Maße
der Gewalt anderer Jugendlicher aus, und sie lassen viele
von ihnen nach dem Schulabschluss bei der Suche nach
einem Ausbildungs- oder Arbeitsplatz scheitern. Die deso-
late Lage der Jugendlichen bedeutet, dass es für Lehrerinnen und Lehrer immer schwieriger wird, im Unterricht mit
den Schülern jene förderliche Beziehung zu gestalten, ohne
die es keinen Wissenstransfer geben kann. Und hier, bei der
Gestaltung der Beziehung zwischen Lehrenden und Lernenden, spielen die Spiegelneurone eine nicht unbedeu-
tende Rolle.

Neben der fachlichen Qualifikation von Lehrkräften
muss die Kompetenz der Lehrer stärker in den Fokus rü-
cken, trotz einer schwieriger gewordenen Klientel eine pro-

duktive Unterrichtssituation herzustellen. Die dazu notwendigen Fähigkeiten auf der Lehrerseite zu trainieren muss zu einem Schwerpunkt der Bildungspolitik werden. Solange allerdings Eltern und Lehrer vielerorts immer noch eher gegeneinander als miteinander arbeiten, stehen die Lehrer auf verlorenem Posten. Die von vielen Schülern wahrgenommene Haltung ihrer Eltern gegenüber der Schule im Besonderen und der Bildung im Allgemeinen unterliegt den Regeln des Spiegelungsgeschehens: Eine Position der Eltern, die signalisiert, dass sie sich für Bildung, Schule und Lehrer nicht interessieren oder sie gar abwerten, wird von Schülern zwar gern übernommen, doch am Ende leistet man den Kindern damit einen Bärendienst. Eltern sollten die Lernbemühungen von Schulkindern *sehen, wahrnehmen und positiv zurückspiegeln*. Das Gleiche gilt für Lehrer in der Unterrichtssituation. Schüler wollen als Individuen *gesehen* werden. Entscheidend ist hier unter anderem, dass die Lehrerin bzw. der Lehrer insbesondere den *Beginn* der Unterrichtsstunde mit einem deutlichen Signal der Beziehungsaufnahme markiert. Der motivationssteigernde Effekt des Gesehen-Werdens potenziert sich, wenn der Schüler spürt, dass die Lehrkraft eine Vorstellung davon hat, wie und wohin er sich entwickeln könnte. Die Einspiegelung solcher Entwicklungsszenarien aktiviert im jungen Menschen – via Spiegelsystem – eigene Entwicklungsideen und -wünsche.

Es gibt Kinder, die sich in einer derart eingeschränkten Situation befinden, dass alle bisher erwähnten Bemühungen nicht ausreichen. In zunehmendem Maße sieht sich die Schule mit Kindern konfrontiert, bei denen eine schwere Beeinträchtigung im Bereich des Mitfühlens und der Empathie vorliegt, meist kombiniert mit einer starken Tendenz, Gewalt gegen andere einzusetzen. Empathiedefizite sind

Spiegelungsdefizite. Kindern, die selbst nur wenig Einfühlung, Rücksicht und Zärtlichkeit erlebt haben, stehen wegen fehlender Spiegelungserfahrungen keine eigenen neurobiologischen Programme zur Verfügung, die es ihnen ermöglichen würden, Mitgefühl zu empfinden und zu zeigen. Kommt es in Konfliktsituationen zur Anwendung von Gewalt, erkennen diese Kinder oder Jugendlichen nicht, wenn Grenzen erreicht sind. Sie setzen die Gewalt auch dann fort, wenn die Situation schon klar entschieden ist, was häufig zu schweren Verletzungen, in Einzelfällen immer wieder auch zu Todesfällen führt.

Empathie- und Spiegelungsdefizite lassen sich zumindest bis zu einem gewissen Grad beheben. Was ein Kind auf Grund ungünstiger Lebensverhältnisse versäumt hat, kann man mit ihm, bei Anwendung geeigneter Trainingsprogramme, ein Stück weit nachholen. Ein Pionier bei der Entwicklung solcher Verfahren zur Nachentwicklung und Nachreifung der Empathiefähigkeit bei Kindern war der US-Amerikaner Daniel Goleman. Hier in Deutschland hat der Heidelberger Psychosomatiker und Psychotherapeut Manfred Cierpka ein Programm zusammengestellt, mit dem sich, unter anderem anhand von Bildern von sozial bedeutsamen Situationen, das Einfühlungsvermögen von Schulkindern fördern und ausbauen lässt. Indem Kinder in der Gruppe zusammen mit der Lehrerin oder dem Lehrer Bilder von anderen Kindern betrachten, die sich in besonderen Situationen befinden, und miteinander über diese Bilder und ihre Eindrücke sprechen, werden Spiegelsysteme der Anteilnahme und Empathie trainiert, die bis dahin vielleicht nie in Aktion getreten waren. In eine ähnliche Richtung gehen neuerdings Programme, bei denen Schüler zu Streitschlichtern ausgebildet werden. Differenzierte Materialien für den Ethik-Unterricht, wie sie die Pädagogin Hiltrud Hainmüller geschaffen hat, sind ein weiterer, sehr wertvoller Beitrag auf der gleichen Linie. Ansätze dieser Art sind nicht nur aus psychotherapeutischer, sondern auch aus neurobiologischer Sicht sinnvoll. Sie sollten von den Eltern unterstützt werden, und es wäre auch sinnvoll, sie in geeigneter Weise an solchen Programmen teilnehmen zu lassen, wo immer dies möglich ist.

9.
Spiegelneurone in der Medizin und Psychotherapie

Das Phänomen der Spiegelung musste für die Psychotherapie nicht neu erfunden werden, denn es ist hier seit langem bekannt.[1] Das Gleiche gilt für die Medizin – ganz allgemein für jede Begegnung zwischen jemandem, der Heilung sucht, und jemandem, der zu heilen versteht. Unklar war jedoch bisher, auf welcher neurobiologischen Grundlage sich Spiegelungsvorgänge abspielen. Der Einfluss, den sie in Heilungsprozessen haben, wird unterschätzt. Wenn jemand einen Arzt oder Therapeuten aufsucht, dann stehen sich nicht nur eine Gesundheitsstörung und ein medizinischer oder psychologischer Experte gegenüber. Es begegnen sich vielmehr zwei Personen, deren Einstellungen und Erwartungen zu intuitiven Wahrnehmungs- und Spiegelungsabläufen führen, die den Behandlungserfolg stärker beeinflussen als manche therapeutische Maßnahme.

---

[1] Spiegelungsphänomene werden in der tiefenpsychologischen und psychoanalytischen Psychotherapie seit langem als »Übertragung«, »Gegenübertragung« und »Identifizierung« beachtet und erforscht. In die Verhaltenstherapie haben sie neuerdings unter der Bezeichnung »Resonanz« Eingang gefunden.

Unausgesprochene Einstellungen und Erwartungen zwischen Arzt und Patient

Einstellungen und Erwartungen von Arzt (hier stellvertretend auch für Ärztin) und Patient (Patientin) haben Effekte auf den Behandlungsverlauf. Die inneren Einstellungen des Arztes lösen beim Patienten eine Resonanz aus und umgekehrt die des Patienten beim Arzt. Betrachten wir, was passiert, wenn Arzt und Patient zusammenkommen. Die Einstellungen und Erwartungen des Arztes können sich in einem sehr breiten Spektrum bewegen. Man kann sie als stilles Selbstgespräch beschreiben, wobei ein solcher Monolog nur wiedergeben kann, was der Arzt in etwa und *dem Sinne nach* denkt und fühlt. Seine Haltung gegenüber dem Patienten kann unterschiedliche – unausgesprochene, aber für den Patienten spürbare – Botschaften ausdrücken, zum Beispiel: »Ich interessiere mich für Ihr Problem, berichten Sie mir und lassen Sie uns schauen, was wir miteinander hinbekommen.« Vielleicht sogar: »Was Sie mir erzählt haben, scheint mir nur ein Teil des Problems zu sein. Gibt es da noch etwas, das Sie zusätzlich belastet, worüber zu reden Ihnen aber schwer fällt?« Die unterschwellige Botschaft kann aber auch lauten: »Reden Sie nicht so viel drum herum, schildern Sie das Symptom, der Rest ist unwichtig. Ich weiß dann schon, was zu tun ist.« Vielleicht auch: »Draußen wartet noch ein Haufen Leute, später muss ich noch in den OP, also denken Sie bitte an meine Zeit.« Oder gar: »Ich sehe doch gleich, dass Sie nichts wirklich Ernstes haben, Sie halten mich hier nur auf.«

Jeder Arzt hat innere Vorstellungen von zu erwartenden Abläufen, zum Beispiel davon, was für ihn wichtig ist und was nicht, von seiner Art der Behandlung, vom Behandlungsverlauf, von den Kriterien, nach denen er beurteilt, was als Behandlungserfolg anzusehen ist. Welche Einstellung auch immer er hat, er wird sie – auch bei größtem Bemühen um äußere Höflichkeit und Korrektheit – nicht verbergen können. Die unausgesprochenen Botschaften beginnen schon mit der Art, wie er hereinkommt und Platz nimmt (»Jetzt habe ich etwas Zeit für Sie« oder »Ich muss gleich weiter«), wie er den Patienten anschaut (»Ich möchte gern verstehen, was mit Ihnen los ist« oder »Bitte rasch zur Sache, worum geht es bei Ihnen?«), welche Tonlage er wählt. Zahlreiche weitere Zeichen dieser Art treten hinzu (sein Blick zur Uhr, ruhige oder fahrige Bewegungen, seine Konzentration beim Zuhören und Ähnliches). »Wessen Lippen schweigen, der schwatzt mit den Fingerspitzen. Aus allen Poren dringt der Verrat.«[2] Diese Signale nimmt der Patient intuitiv auf.

Die Einstellungen und Erwartungen des Arztes, die in solchem unwillkürlichen Verhalten zum Ausdruck kommen, sind innere Programme, die vorgeben, wie sich der weitere Handlungsablauf und das ihn begleitende Empfinden der Beteiligten gestalten wird bzw. gestalten soll. Sie führen beim Patienten zu einer Resonanz, das heißt, sie aktivieren intuitiv korrespondierende Einstellungen, Stimmungen und Erwartungen, die in der Regel denjenigen des Arztes entsprechen. Dies schließt nicht aus, dass eine solche Resonanz *in einem zweiten Schritt* eine ablehnende Gegenreaktion des Patienten auslöst – zum Beispiel, wenn er sich nicht angenommen fühlt.

Obwohl weder vom Arzt noch vom Patienten beabsichtigt, übertragen sich die Vorstellungen, Konzepte und Er-

---

[2] Diese einprägsame Formulierung stammt von Sigmund Freud (*Bruchstücke einer Hysterie-Analyse*, 1905).

wartungen von der einen auf die andere Seite. Konkret heißt dies, dass der Patient bei seinem Arzt – meist ohne zu wissen, warum – intuitiv zum Beispiel das Gefühl bekommt: »Mein Fall ist es wert, angehört zu werden, ich stoße auf Anteilnahme«, mitsamt allem, was sich für ihn daraus an weiteren Sequenzen ergibt: Stressreduktion, Bestärkung des Selbstwertgefühls, Vertrauen, vielleicht auch eine größere Offenheit gegenüber dem Arzt. Erzeugt dagegen die Resonanz beim Patienten ein Gefühl wie: »Ich habe eigentlich nichts Ernstes, bin nicht wichtig und sollte hier nicht zur Last fallen«, wird sich auch daraus ein bestimmter weiterer Ablauf ergeben. In beiden Fällen haben sich Einstellungen und Erwartungen des Arztes auf den Patienten übertragen. Am Rande sei angemerkt, dass die Bereitschaft, nach dem Kontext von Symptomen – und damit nach ihrer unausgesprochenen Botschaft – zu fragen, in der Medizin oft eher gering ist. Eine amüsante Charakterisierung dieser Situation findet sich in einer Sequenz wiedergegeben, die von dem amerikanischen Arzt Drew Leder stammt und die der Medizinethiker Franz Josef Illhardt in einem seiner Bücher zitiert: Ein Arzt hört bei einem Patienten mit dem Stethoskop Herz und Lunge ab. Der Patient beginnt etwas von sich zu erzählen. Der Arzt schnauzt ihn daraufhin an: »Quiet, I can't hear you while I'm listening!« Was Patienten subjektiv wahrnehmen und zu sagen haben, sollte für den Arzt mindestens das gleiche Gewicht haben wie das, was sich mit medizinischen Untersuchungsinstrumenten in Erfahrung bringen lässt.

Von ebenso großer Bedeutung sind die Einstellungen und Erwartungen der Patienten. Ihre – auch hier so konkret nie gedachten und erst recht nicht ausgesprochenen – inneren Monologe sind vielgestaltig und können wie die des Arztes dem Sinn nach sehr verschieden lauten, von »Mir geht's nicht gut, ich vertraue Ihnen, zeigen Sie mir bitte einen Weg

zur Heilung« über »Ich mache Sie für meine Heilung verantwortlich, mal sehen, ob Sie überhaupt ein so guter Doktor
sind« oder »Bringen Sie mein körperliches Problem in Ord-
nung, aber lassen Sie meine Lebensführung oder meine privaten Sorgen außen vor« bis hin zu Einstellungen wie »Niemand kann mir helfen – auch Sie nicht« oder »Ich halte nicht
viel von der Heilkunst der Ärzte, möchte aber mit Ihrer
Hilfe bestimmte andere Dinge erreichen«.

Auch die Gedanken und Gefühle von Patienten sind innere Programme, die erwartete Handlungsabläufe kodieren. Was der Patient an Haltungen, Einstellungen und Erwartungen mitbringt, teilt sich dem Arzt über zahlreiche
Signale mit, selbst dann – und oft sogar *gerade* dann –, wenn
der Patient sich bemüht, seine inneren Befürchtungen,
Hoffnungen oder Wünsche zu verbergen. Vom Patienten
gehegte Einstellungen und Haltungen lösen nun ihrerseits
beim Arzt eine intuitive Resonanz aus, das heißt, sie erzeugen in ihm – ohne dass dies einer der Beteiligten beab-
sichtige – korrespondierende Gefühle. Dies schließt wiederum nicht aus, dass eine solche Resonanz *in einem zweiten
Schritt* zu einer anders gerichteten Gegenreaktion führt.
Spürt etwa ein Arzt im Rahmen seiner Resonanzreaktion,
dass der Patient Angst hat, seine Beschwerden könnten
zu unbedeutend sein, um überhaupt vorgetragen zu werden, so ermöglicht es ihm gerade diese Wahrnehmung, in
einem zweiten Schritt eine gegenläufige, zum Beispiel an-
teilnehmende Reaktion zu zeigen. Die im Arzt ausgelöste
Resonanz wird sowohl seine therapeutische Wirksamkeit
als auch den Behandlungsablauf erheblich beeinflussen.
Obwohl Spiegelungsphänomene zu den stärksten Einflussfaktoren jedes Heilungsprozesses gehören, werden sie in
der medizinischen Ausbildung kaum oder gar nicht berücksichtigt.

Auch in der Psychotherapie kommt es zu einer Begegnung zwischen Helfern und Hilfesuchenden, doch bestehen gegenüber der üblichen medizinischen Behandlung drei wichtige Unterschiede: 1. Die persönliche Begegnung zwischen Therapeut[3] und Patient steht völlig im Vordergrund, nicht nur wegen des Verzichts auf apparative Hilfsmittel, sondern auch wegen des Umfangs der Einzelsitzungen und der regelmäßigen Sitzungsfrequenz. 2. Wechselseitige Spiegelungsphänomene zwischen Patient und Therapeut werden in der Psychotherapie nicht als Nebenerscheinung betrachtet, sondern sind ein zentrales Element der Behandlungsmethode *und* Behandlungsgegenstand. 3. Psychotherapie behandelt, anders als die herkömmliche Medizin, nicht isoliert betrachtete Erkrankungen, sondern berücksichtigt den Zusammenhang zwischen der Gesundheit und den inneren Programmen des Handelns und Fühlens. Diese bestimmen nicht nur das Verhalten und Erleben, sondern auch die biologischen Reaktionsmuster eines Menschen.

In der Psychotherapie hat die Resonanz, also das Fühlen- und Mitfühlen-Können, eine zweifache Bedeutung: Einerseits sind Probleme im Umgang mit Gefühlen ein zentraler Grund, warum Menschen zur Psychotherapie kommen. Fragen der emotionalen Resonanz sind also ein wichtiger *Gegenstand der Behandlung*. Andererseits spielt die Resonanz aber auch als *Behandlungsmethode* eine Rolle, sie gehört sozusagen zum therapeutischen Werkzeug, das Helfer und Hilfesuchender benutzen, um Heilungsfortschritte zu er-

---

[3] Wo nachfolgend von »Therapeut« und »Patient« die Rede ist, ist immer auch »Therapeutin« und »Patientin« gemeint.

zielen. Beginnen wir mit Letzterem: Warum ist der Umgang mit Resonanz- und Spiegelungsphänomenen in der Psychotherapie so bedeutsam? Ein guter Psychotherapeut nimmt nicht nur wahr, was der Patient vernünftigerweise sagen kann, sondern muss im Interesse des Patienten auch die intuitiven Signale und Botschaften berücksichtigen, die dieser aussendet. Dazu gehört nicht nur die Beachtung verschiedener körpersprachlicher Zeichen, sondern zusätzlich auch die Wahrnehmung von Resonanzen, die der Patient im Laufe der Behandlung im Therapeuten immer wieder aufs Neue auslöst. Diese Resonanzen äußern sich beim Therapeuten in der Regel als spontan auftretende Gedanken, manchmal, wenngleich erheblich seltener, auch als körperliche Empfindungen.

Die im Therapeuten durch den Patienten unwillkürlich ausgelösten Resonanzen haben einen hohen Informationswert und sind eine entscheidende Hilfe, um die Richtung der Therapie zu steuern. Patienten können das, was sie belastet oder in ihnen vorgeht, oft nur mühsam in Worte fassen, manchmal gar nicht aussprechen. In der Erzählung des Patienten können daher – keineswegs beabsichtigt – Lücken und Brüche auftreten. Was der Therapeut dabei vom Patienten wahrnimmt, kann in ihm eine Resonanz erzeugen, die über eine »normale«, verstehende Anteilnahme hinausgeht. Sie kann weiterführende, ergänzende Gedanken und Gefühle in ihm hervorrufen, die sozusagen fortspinnen, wie die Geschichte des Patienten an jenen Stellen verlaufen sein könnte, wo dieser es bei einer Lücke oder einem Abbruch belassen musste.[4]

---

[4] Die Resonanz der Psychotherapeutin / des Psychotherapeuten ist ein Spiegelphänomen besonderer Art, das in der psychoanalytischen Fachsprache als Gegenübertragung bezeichnet wird.

Es sind – sowohl innerhalb als auch außerhalb einer therapeutischen Situation – Spiegelneurone, die in einem anderen Menschen ergänzende Gedanken auslösen. Die Erklärung gibt uns ein an früherer Stelle dargestelltes Experiment.[5] Wir gehen einen Moment lang zurück in die Welt des Forschungslabors: Ein Individuum, das nach einer Nuss greift, aktiviert, kurz bevor bewegungssteuernde Nervenzellen die Muskulatur des Arms und der Hand in Gang setzen, einige übergeordnete prämotorische Nervenzellen, die das Programm und das Ziel der Handlung als Ganzes kennen. Die gleichen Nervenzellen, die den Handlungsplan »Greifen nach Nuss« kodieren und die entsprechende Handlung starten können, werden jedoch auch dann aktiv, wenn die betreffende Person selbst nichts tut, aber *beobachtet*, wie jemand anders mit der Hand nach einer Nuss greift. Zur spiegelnden Aktivierung der Spiegelnervenzellen kommt es aber auch dann, wenn der Beobachter nur den Beginn der Handlung sehen kann, nicht aber ihren weiteren Verlauf, nämlich den eigentlichen Griff nach der Nuss. Der zweite Teil der Handlungssequenz kann optisch abgedeckt sein, der Vorgang bricht also für den Beobachter auf halber Strecke ab. Trotzdem aktivieren die Spiegelneurone, da sie die wahrscheinliche Sequenz auf Grund früherer Erfahrungen in ganzer Länge abgespeichert haben, die Vorstellung der gesamten Handlung. Obwohl deren zweiter Teil nicht sichtbar ist, »wissen« sie, was gespielt wird. Fazit: Wenn die wahrnehmbaren Teile eines Vorgangs eindeutig genug sind, kommt es im Kopf des Beobachters – ungeachtet des Fehlens eines Teils der Sequenz – zur spiegelnden Aktivierung von Nervenzellen,

---

[5] Siehe das »Hidden-condition«-Experiment, dargestellt im zweiten Kapitel.

welche die *gesamte* Handlungsfolge einschließlich ihres Ziels »kennen«.

Im Hinblick auf die ergänzenden Gedanken des Therapeuten ergibt sich aus dem Experiment die folgende Botschaft: Abläufe oder Geschichten im Leben eines Menschen können, auch wenn bestimmte Abschnitte nicht sichtbar bzw. verborgen sind, durch die Spiegelneurone einer miterlebenden oder mitfühlenden Person komplementär ergänzt und damit intuitiv verstanden werden. Dies setzt allerdings voraus, dass die offen sichtbaren Teile der Geschichte genügend Anhaltspunkte bieten. Damit erkennen wir zwei wichtige Elemente der psychotherapeutischen Arbeitsmethode, deren neurobiologische Basis durch die Spiegelneurone gebildet wird: 1. intuitives Verstehen der Stimmungen und Gedanken, über die der Patient selbst Bescheid weiß und über die er berichten kann (man könnte von »konkordanter Spiegelung« des Therapeuten sprechen), und 2. ergänzendes Verstehen derjenigen Sequenzen des Handelns und Empfindens, die der Patient – meist auf Grund tief sitzender Angst – nicht fühlen, nicht denken und nicht aussprechen kann (man könnte dies als »komplementäre Spiegelung« des Therapeuten bezeichnen).

Resonanz als Gegenstand und Inhalt der Psychotherapie

Spiegelung und Resonanz sind in der Psychotherapie nicht nur ein Teil der therapeutischen Methode. Aus der Sicht der Patientin bzw. des Patienten gehören Probleme im Umgang mit Gefühlen zu den häufigsten Gründen, eine Therapie aufzusuchen. Dies wiederum bedeutet, dass Spiegelungs-

und Resonanzphänomene, denen Gefühle permanent und in besonders starkem Ausmaß unterworfen sind, ein wichtiger *Gegenstand und Inhalt* der Behandlung sind.

Beides kann seelische Probleme bereiten: nicht spiegeln zu können – oder spiegeln zu können, aber damit immer wieder in emotionales Leid oder gravierende Beziehungsschwierigkeiten zu geraten. Menschen, die gar nicht oder nicht gut spiegeln können, sagen, dass sie zu anderen keinen intuitiven Kontakt finden, sich von ihren eigenen Emotionen abgeschnitten fühlen und schlecht einschätzen können, was andere empfinden oder wollen. Manchen passieren immer wieder leicht bestimmte zwischenmenschliche Missverständnisse, oder sie verpassen entscheidende Momente des Zueinander-Findens. Doch auch Menschen mit einer gut entwickelten Fähigkeit, zu spiegeln und sich intuitiv auf die Emotionen anderer einzuschwingen, können von Problemen betroffen sein. Manche suchen einen Psychotherapeuten auf, weil sie sich in jeder ihrer Beziehungen relativ rasch in einer Konstellation wiederfinden, in der sie sich verausgaben und erschöpfen. Sie haben eine ausgeprägte Begabung, in sich selbst eine Resonanz auf die Vorstellungen anderer zu entwickeln, insbesondere die Wünsche anderer intuitiv zu spüren. Sie gehen auf diese Wünsche in hohem Maße ein, bemerken aber nicht oder zu spät, dass sie zu wenig zurückbekommen. Eine weitere Variante findet sich bei Personen, die sich schneller als andere, manchmal fast suchtartig auf Menschen einspiegeln und dann erleben müssen, wie die dadurch entstandenen Beziehungen relativ rasch Schiffbruch erleiden. Diese Patienten haben häufig Probleme mit der eigenen Identität: Sie lassen sich gern auf vieles ein, wissen aber nicht, wer sie selbst sind oder wo sie innerlich stehen. Man könnte einen solchen Menschen mit einem begeisterten Fußballspieler vergleichen, der vor lauter Freude am Spiel nicht weiß, für welche Seite er eigentlich kämpft.

In der Psychotherapie sind beide Erfahrungen von Bedeutung: Einerseits geht es um die Entdeckung des *gemeinsamen* Gefühls, um konkordante Spiegelungserfahrungen, das heißt Erfahrungen des intuitiven Verstanden-Werdens und Verstehens. Andererseits geht es darum, das *eigene* Gefühl zu entdecken, das heißt den Unterschied zwischen eigenen und fremden Impulsen, Vorstellungen und Absichten zu reflektieren, also eine Identität zu entwickeln. Personen, die wenig liebevolle Spiegelungen erfahren haben, die sich selbst als starr, eingeengt, einseitig rational und emotionsarm erleben, brauchen einen Psychotherapeuten, der das Spiegelungsgeschehen in Gang bringt. Dazu müssen sie ermutigt werden, darüber zu sprechen, wie sie ihr Leben und ihren Kontakt zu anderen, auch zum Therapeuten, wahrnehmen. Umgekehrt sollte auch der Therapeut den Patienten in behutsamer, anfragender Weise immer wieder darauf ansprechen, wie er (der Therapeut) ihn (den Patienten) jetzt gerade erlebt und welche Vorstellung er von den im Moment im Patienten vermutlich vorhandenen Gefühlen hat. Eine solche vorsichtig tastende Erkundung der Gefühle des Patienten kann eine hilfreiche Brücke sein, solange dieser selbst noch keinen oder nur minimalen Zugang zu eigenen intuitiven, emotionalen Regungen hat. Entscheidend bei alledem ist weniger, ob die geäußerten Vermutungen oder Erwägungen »richtig« sind (natürlich sollten sie dies möglichst sein), sondern ob zwischen Patient und Therapeut ein Spiegelungsgeschehen in Gang kommt, ob der Patient den Zauber entdeckt, intuitiv verstanden zu werden und selbst zu verstehen.

Die Spiegelungsfähigkeit des Patienten nachreifen zu lassen gelingt nur dann, wenn der Therapeut selbst über ausreichende Intuition verfügt, spontan sein kann, warmherzig ist, Geduld und möglichst auch Humor hat. Eine weitere, vielleicht die wichtigste Voraussetzung ist, dass er seinen Patienten – bei aller gebotenen professionellen Distanz – auch mag.

Psychotherapieähnliche Verfahren

Neben der eigentlichen Psychotherapie gibt es weitere seriöse Verfahren, bei denen Spiegelungs- und Resonanzphänomene eine therapeutische Rolle spielen. Es sind Therapien, die vor allem dort helfen, wo der Weg über das Sprechen allein nicht ausreicht, um Zugang zur intuitiven, emotionalen Seite des Lebens zu finden.

Bei der *Konzentrativen Bewegungstherapie (KBT)* geht es darum, Körpergefühle wahrzunehmen. Die Behandlung wird in Einzel- oder Gruppensitzungen von Krankengymnastinnen mit einer Zusatzausbildung durchgeführt. Die KBT ist ein wirksames Verfahren, bei dem Aufmerksamkeit und Wahrnehmung darauf gerichtet werden, im Körper gespeicherte Erlebnisse und Gefühle aufzuspüren. Anhaltspunkte für diese Informationen sind Zonen erhöhter Empfindlichkeit oder Schwäche, Verspannungen oder Verhärtungen, schließlich aber auch bestimmte Schemata bei spontanen Bewegungen oder bei der Körperhaltung. Spiegelphänomene sind in der KBT von Bedeutung, denn die Aufmerksamkeit von Patient und Therapeutin ist darauf ausgerichtet, die Resonanz wahrzunehmen, die vom Körper des Patienten ausgeht. Diese Resonanz spüren beide: die Therapeutin, die den Körper des Patienten *von außen* wahrnimmt, und der Patient, der lernen soll, *von innen* her zu spüren, was ihm sein Körper sagt. Die Erfahrung zeigt, dass die Therapeutinnen auf Grund ihres geschulten Resonanzvermögens oft schon vor dem Patienten spüren, was dessen Körper ausdrückt. Darüber, was diese Resonanz über den Körper des Patienten erzählt, sind Therapeutin und Patient während der Behandlung im Gespräch. Durch die KBT kann es – und soll es – zu einer Mobilisierung von Erinnerungen oder Emotionen kommen. KBT-Therapeutinnen sind auf Grund ihrer anspruchsvollen Ausbildung in der Lage, diesen Prozess behutsam zu steuern und mobilisierte Emotionen durch das begleitende Gespräch aufzufangen.

Unter dem Aspekt des Spiegelungsgeschehens sind einige weitere Therapieformen interessant, bei denen die Patientin bzw. der Patient angeleitet wird, verschiedene körperliche Ausdrucksmöglichkeiten zu erproben, etwa symbolisch bedeutsame Körperhaltungen, Bewegungen oder Gesten (zum Beispiel die Therapie nach Albert Pesso, die modifizierte Psychotherapie nach Tilman Moser, aber auch die Eurythmie), die Möglichkeiten seiner Stimme zu erproben (*Musiktherapie, Stimmtherapie*) oder zu erkunden, was sich durch Tanzbewegungen ausdrücken lässt (*Tanztherapie*). Neurobiologisch gesehen ist die gezielte Imitation, also das angeleitete Nachmachen von emotional bedeutsamen mimischen Ausdrucksformen und Körpergesten, mehr als das Erzeugen eines äußeren Scheins ohne innere Bedeutung. Untersuchungen mit modernen bildgebenden Verfahren[6] konnten zeigen, dass die Imitation einer von Gefühlen begleiteten Geste auch die jeweils dazugehörenden Emotionszentren aktivieren kann. Dies bedeutet:

---

[6] Funktionelle Kernspintomographie (f-NMR).

Die bewusste Übernahme einer bestimmten Geste oder eines bestimmten Gesichtsausdrucks kann – zumindest zu einem gewissen Grad – eine Mitreaktion der entsprechenden Gefühle erzeugen. Die genannten Therapien mögen darüber hinaus weitere Wirkprinzipien haben, doch spielt das System der Spiegelzellen bei ihnen auf jeden Fall eine bedeutende Rolle.

Nicht alles, was spiegelt, ist gut und unbedenklich

Nicht alles, was spiegelt, ist allein deshalb schon gut und unbedenklich, im Gegenteil. Spiegelungsvorgänge, die therapeutisch zum Tragen kommen, sind etwas anderes als Spiegelungsphänomene, die im Alltag fortwährend auftreten und zum normalen Leben gehören wie das Licht. Spiegelphänomene, die sich in einer Therapie entwickeln, sind dagegen wie Laserlicht. Sie können Schaden zufügen.

Aufstellungen bzw. *Familienaufstellungen* sind hochwirksame Verfahren, bei denen ein Patient andere Mitpatienten, die als Stellvertreter für seine Angehörigen fungieren, in einer ihm intuitiv sinnvoll erscheinenden Weise – wie Figuren – aufstellt. Solche Szenen rufen, wenn sie durch Fragen und Hinweise des Therapeuten »wiederbelebt« werden, in allen Beteiligten (nicht nur im Patienten, sondern auch in den aufgestellten Stellvertretern) eine intensive Resonanz hervor. Als Folge können massive emotionale Reaktionen auftreten. Nur Psychotherapeuten bzw. Psychotherapeutinnen, und hier wiederum vorzugsweise ausgebildete Familientherapeuten, sind in der Lage, dieses Verfahren verantwortlich zu handhaben. Von Aufstellungsseminaren außerhalb einer Psychotherapie ist, nicht zuletzt auch auf

Grund schwerer Zwischenfälle bis hin zu einer Selbsttötung im Anschluss an eine solche Veranstaltung, abzuraten.

Die *Hypnose* ist ein Verfahren, bei dem vor allem über Stimme und Atmung eine intensive Resonanz zwischen Therapeut und Patient hergestellt wird, die diesen Patienten in hohem Maße suggestibel, das heißt für Einspiegelungen des Therapeuten durchlässig macht: Vom Therapeuten verbal geäußerte Vorstellungen oder Handlungsabsichten, aber auch Beschreibungen körperlicher Empfindungen führen beim Patienten zu einer Aktivierung der korrespondierenden Spiegelsysteme und können sowohl seine Handlungsvorstellungen als auch seine Körperempfindungen verändern. Da die Hypnose die Abgrenzungsfähigkeit des Patienten, das heißt die Wahrnehmungsgrenze zwischen Selbst und Nichtselbst, vermindert, kann es zu schweren Nebenwirkungen, unter anderem auch zu psychotischen Reaktionen kommen. Als isoliertes therapeutisches Verfahren angewandt, ist die Hypnose nur kurzfristig wirksam (zum Beispiel zur Verminderung der Schmerzempfindlichkeit bei medizinischen Eingriffen). Man sollte sich ihr nicht unterziehen, wenn sie von Personen durchgeführt wird, die weder Mediziner noch Psychotherapeuten sind.

Gezielte Spiegelungstherapien in der Neurologie und psychosomatischen Medizin

Einen ersten Versuch, einen Therapieansatz zu entwickeln, der primär auf das System der Spiegelneurone zielt, unternehmen seit Anfang des Jahres 2003 Neurologen um Ferdinand Binkofski an der Neurologischen Universitätsklinik Lübeck. Die Forschergruppe will therapeutischen Nutzen daraus ziehen, dass die Beobachtung motorischer Handlungen – via Spiegelsystem – zu einer Aktivierung prämotorischer Nervenzellen im Gehirn des Beobachters führt.[7] Sie versucht, Patienten zu helfen, bei denen ein Schlaganfall zu einer Beschädigung der motorischen, die Bewegung von Muskeln steuernden Nervenzellen geführt hat. Ihre Absicht ist es, die handlungssteuernden Nervenzellen der prämotorischen Hirnrinde dadurch anzuregen, dass die Patienten gezielt Bewegungen beobachten, und zwar vor allem solche, die sie im Rahmen der Behandlung wieder erlernen sollen. Das Forscherteam hofft, dass die durch den Beobachtungsvorgang aktivierten Handlungsneurone in der prämotorischen Hirnrinde ihrerseits Bewegungsneurone aktivieren, sodass allmählich die Bewegungsfähigkeit wiederhergestellt werden kann. Die Patienten schauen sich zunächst vier Minuten lang eine Videoaufzeichnung der zu erlernenden Bewegung an und versuchen sie dann in einer vier Minuten dauernden krankengymnastischen Übung selbst auszuführen.

Neurologische Pionierprojekte wie das in Lübeck wären auch in der psychosomatischen Medizin vorstellbar. Als sinnvoll könnte sich auch eine gezielte *Spiegelungspsychotherapie* für Personen erweisen, die besonders gravierende Schwierigkeiten haben, eigene Gefühle zu spüren oder die Emotionen anderer wahrzunehmen. Dies beträfe insbesondere Menschen mit autistischen[8] und alexithymen Störun-

---

[7] Die Funktionen der bewegungssteuernden Zellen in der primärmotorischen Rinde (Typ Obelix) und der handlungssteuernden Nervenzellen in der prämotorischen Rinde (Typ Asterix) habe ich im zweiten Kapitel erläutert.

[8] Eine Erläuterung der Probleme von Personen mit Autismus findet sich im dritten Kapitel.

gen[9]. Bewusst durchgeführte Imitationen von mimischen Ausdrucksgesten haben, wie sich in bildgebenden Untersuchungen zeigen ließ, im Gehirn eine Aktivierung der zugehörigen Emotionszentren zur Folge. Eine durch Psychotherapeuten gezielt eingesetzte Spiegelungspsychotherapie könnte möglicherweise in der Lage sein, durch eine spielerische Imitation von bestimmten Körpergesten für Patienten etwas von jenen Gefühlen spürbar zu machen, die mit der jeweiligen Geste normalerweise ausgedrückt werden. Übungen könnten darin bestehen, dass Therapeut und Patient in einer vorher besprochenen Weise wechselseitig Imitationen von mimischen Gesten oder körperlichen Ausdruckshaltungen vollziehen. Begleitend wäre jeweils zu besprechen, wie Therapeut und Patient dies erleben. Freundliche, einnehmende Gesten müssten im Mittelpunkt der Übungen stehen. Weitere Ausdrucksgesten könnten folgen (zum Beispiel für Misstrauen, Trotz oder Hilfsbedürftigkeit). Aggressive Gesten sollten eher ausgespart werden, um die ohnehin beeinträchtigten Patienten nicht in Angst zu versetzen. Solche Übungen müssten behutsam und unter sensibler Beachtung der Befindlichkeit des Patienten geschehen. Forcierendes Vorgehen wäre kontraproduktiv. Spiegelungsübungen dieser Art könnten im Rahmen einer Gesamtbehandlung von ausgebildeten Psychotherapeutinnen bzw. Psychotherapeuten oder von KBT-Therapeutinnen oder Eurythmielehrern durchgeführt werden.

---

[9] Als Alexithymie wird die Unfähigkeit bezeichnet, Emotionen und Gefühle zu spüren.

10.
Beziehungsalltag und Lebensgestaltung:
Was sich von den Spiegelzellen lernen lässt

Welche Aspekte des Spiegelneuronensystems sind für den Alltag eines einzelnen Menschen bedeutsam? Wenn wir die emotionalen Aspekte zwischenmenschlicher Kommunikation, wenn wir intuitives gegenseitiges Verstehen, spontane Anteilnahme und persönliche Resonanz für wichtige Elemente unseres persönlichen Lebens halten, dann sind die Spiegelneurone für unseren Alltag keineswegs irrelevant. Was bedeutet die Möglichkeit des biologischen Systems Mensch, auf einen anderen Menschen mit einer Reihe von neurobiologischen Resonanzen zu reagieren? Es bedeutet, dass wir über eine geniale direkte Möglichkeit verfügen, unmittelbaren Aufschluss über den inneren Zustand unserer Mitmenschen zu erhalten, über ihre Absichten, Empfindungen und Gefühle. Die durch andere in uns erzeugten Resonanzen werden in neurobiologischen Systemen wirksam, die wir zugleich zur Wahrnehmung und Regulierung unserer eigenen inneren Zustände einsetzen. Mit anderen Worten: Wir erleben, was andere fühlen, in Form einer spontanen inneren Simulation.[1]

---

[1] Simulation von lateinisch: simulare, einen Vorgang nachmachen, nachspielen.

Die Informationen, die wir durch Vermittlung der Spiegelneurone über andere erhalten, stehen unmittelbar und sofort zur Verfügung, ohne dass unser Bewusstsein aufwendige gedankliche Analysen, Konstruktionen oder Rechenoperationen durchführen müsste. Was das System der Spiegelneurone erzeugt, ist spontanes und vorgedankliches, intuitives Verstehen. Durch seine automatische und implizite Arbeitsweise ermöglicht es schnellste zwischenmenschliche Abstimmungs- und Anpassungsprozesse. Situationen intuitiv einschätzen zu können schließt – dies wurde bereits an früherer Stelle betont – nicht aus, sie zusätzlich auch einer gedanklichen Analyse zu unterziehen und mit den intellektuellen Mitteln der nüchternen Ratio zu hinterfragen. Eine optimale Orientierung ergibt sich für uns dann, wenn wir beide Methoden in Kombination anwenden, denn jede von ihnen hat Schwächen:

Die Kriterien, nach denen die Intuition aus einer Situation Schlussfolgerungen zieht, sind Muster, die sich auf der Basis realer bisheriger Erfahrungen gebildet haben. Deshalb kann das intuitive System vor allem dadurch in die Irre geführt oder getäuscht werden, dass man ihm Zeichen und Hinweise präsentiert, die »normalerweise« einen anderen Ausgang erwarten lassen würden als den, der sich dann tatsächlich einstellt. Banale Täuschungserfahrungen dieser Art können einem beim Flirt genauso passieren wie beim Kauf eines Gebrauchtwagens: Nicht alle, die viel versprechende oder vertrauenswürdige Signale aussenden, erfüllen die dadurch intuitiv hervorgerufenen Erwartungen.

Die rationale Methode, die bei den eben genannten Beispielen ergänzend hilfreich gewesen wäre, ist, wenn sie für sich allein angewandt wird, nicht weniger täuschungsanfällig. Die Kriterien, deren sich Vernunftmenschen bedienen und die großenteils der mathematischen oder physikalischen Logik entlehnt sind, lassen den subjektiven, intuitiven Faktor oft außer Acht. Dies kann dazu führen, dass man intellektuell völlig richtig, hinsichtlich der zwischenmenschlichen Situation aber völlig danebenliegt. Wer als Alleswisser auf einer Abendgesellschaft oder Party jedes Mal korrigierend mit der richtigen Information zur Stelle ist, wenn irgendetwas nicht ganz korrekt gesagt wurde, hat eine hervorragende Chance, zur unbeliebtesten Person des Abends zu werden. Er selbst wundert sich und ist der Meinung, er hätte doch gerade das Gegenteil verdient. Er sagt zwar nur »richtige« Dinge, doch fehlt ihm jeder Sinn für sein aus intuitiver Sicht völlig deplaziertes Verhalten. Ihn hätte nur die Wahrnehmung der intuitiven Signale davor bewahren können, die von den anderen ausgesandt wurden. An ihnen hätte er – wiederum intuitiv – erkennen können, dass es an diesem Abend überhaupt nicht darum ging, Fehler aufzudecken und Wissen zu demonstrieren.

Spiegelungsphänomene am Arbeitsplatz und in der Familie

Neben der Balance zwischen sozialer und persönlicher Identität (siehe Kapitel 5 und 7) spielt im Alltag ein weiterer Balanceakt eine bedeutsame Rolle. Er betrifft die Frage, ob innerhalb einer sozialen Gruppe oder in einer Zweierbeziehung eine *wechselseitige* Einstimmung auf die Stimmungen und Absichten der bzw. des jeweils anderen erfolgt oder ob dieses Gleichgewicht von einem Machtgefälle beeinträchtigt ist. Ungleichgewichte dieser Art sind alltäglich und gehören zu den häufigsten Konfliktursachen. Es ist sicher nichts falsch daran, wenn sich Mitarbeiter bemühen, die Einstellungen und Konzepte, auch die Stimmungen ihrer Chefin oder ihres Chefs zu verstehen und darauf eine positive Resonanz zu entwickeln. Dies sollte jedoch keine Einbahnstraße sein. Fehlendes Einfühlungsvermögen ist eine bedeutende Ursache für inkompetentes Führungsverhalten. Teams, die unter Ineffizienz leiden, haben in der Regel hier ihr größtes Problem, wobei die Empathiedefizite meistens sowohl auf der Seite der Vorgesetzten als auch auf der der Mitarbeiter liegen.

Situationen des Ungleichgewichts können sich, manchmal ohne dass es den Betroffenen bewusst ist, auch in Familien einstellen. Oft haben sich hier starre Schemata entwickelt: Bestimmte Mitglieder der Familie haben die Rolle, regelmäßig fühlen zu sollen und zu müssen, während andere das Vorrecht in Anspruch nehmen, Empathie zu empfangen. Häufig müssen Kinder die gleichsam berufsmäßige Rolle der »Versteher« übernehmen (wobei es auch umgekehrt Kinder gibt, die herausgefunden haben, wie sie die ganze Familie zum Tanzen bringen). Ungleichgewichte dieser Art belasten auch zahlreiche Partnerschaften (siehe Kapitel 6). Kommen beide in den Genuss wechselseitiger Anteilnahme, wechselseitigen Aufeinander-Eingehens, Fragens und Sich-Kümmerns? Oder verdrängt das Empathiebedürfnis der oder des einen alles andere?

Das Verführungspotenzial sozialer Resonanzräume und die Bewahrung der persönlichen Identität

Im Alltag der meisten Menschen kann es eine Herausforderung darstellen, eine Balance zu finden zwischen einem Verstehen und Eingehen auf von außen kommende Stimuli einerseits und der Bewahrung der eigenen Identität andererseits. Vor allem dort, wo gesellschaftliche Trends einen Meinungsdruck erzeugen, kann es für eine einzelne Person schwierig werden, wenn sie eine davon abweichende Position hat, die sie bewahren möchte. Massenpsychologische Phänomene dieser Art wurden bereits vor über hundert Jahren vom französischen Arzt und Kulturwissenschaftler Gustave LeBon (1841–1931) beschrieben: »Unter den Massen übertragen sich Ideen, Gefühle, Erregungen, Glaubenslehren mit ebenso starker Ansteckungskraft wie Mikroben. Diese Erscheinung beobachtet man auch bei Tieren, wenn sie in Scharen zusammen sind. Das Krippenbeißen eines Pferdes im Stall wird bald von den anderen Pferden nachgeahmt. Ein Schreck, die wirre Bewegung einiger Schafe greift bald auf die ganze Herde über. Die Übertragung der Gefühle erklärt die plötzlichen Paniken.«

Die Spiegelsysteme des Menschen unterliegen einer intuitiven Tendenz, sich sozial einzuschwingen. Gesellschaftliche Trends können daher eine enorme Dynamik entwickeln und schnell einen Stellenwert gewinnen, an dem sich die Zugehörigkeit zur Gemeinschaft zu entscheiden scheint. Wer die im Trend liegenden Ansichten, Vorlieben und Handlungsvorstellungen nicht in den Pool seiner neurobiologischen Programme integriert hat bzw. nicht bereit ist, die eigenen Programme im Sinne des Trends zu aktivieren, der findet sich rasch außerhalb des gemeinsamen Verständnisraumes wieder.

Der Wunsch, das gut zu finden, was andere gut finden, hat seinen Grund im neurobiologischen Urbedürfnis nach Spiegelung, nach Resonanz und nach Verbleib innerhalb der schützenden sozialen Identität. Ansichten oder Stimmungen, von denen einige meinen, alle müssten diese jetzt teilen, verbreiten sich daher wie eine Infektionskrankheit. Der neurobiologische Mechanismus ist der gleiche wie bei der Ansteckungsgefahr, die dem Gähnen eigen ist: Es sind Spiegelungsphänomene. So stark ein Trend auch erscheinen mag, manchmal wirkt eine mutig und gut vorgetragene Gegenposition wie eine Impfung, die ihn zu stoppen oder gar umzukehren vermag.

Vor dem Hintergrund dieser Zusammenhänge ergeben sich ethische Fragen. Gerade weil sie ein neurobiologisch angelegtes Phänomen darstellen, sind Resonanzreaktionen in sozialen Gruppen und die dadurch mögliche Auslösung von Massenphänomenen in hohem Maße anfällig für Manipulationen politischer und wirtschaftlicher Art. Wir erkennen dies bereits am Druck, dem wir alle beim Kaufverhalten unterliegen. Doch die Wirkungen reichen weiter. In großen Menschengruppen ausgelöste Resonanzphänomene können ein hohes destruktives Potenzial entwickeln. Dies zeigte sich im Nationalsozialismus und ist an zahlreichen weiteren Beispielen zu beobachten. Die Paradoxie liegt darin, dass eines der Grundphänomene des Menschseins und der Menschlichkeit, nämlich die Fähigkeit zur Resonanz, zugleich zur Entwicklung von Massenphänomenen führen kann, welche die Zerstörung der Menschlichkeit zur Folge haben. Aus psychotherapeutischer Sicht besteht Grund zu der Annahme, dass Personen, die im privaten Umfeld Schwierigkeiten mit der zwischenmenschlichen Kontaktaufnahme und der emotionalen Resonanz haben, in großen Massen besonders anfällig für irrationale und destruktive Resonanzreaktionen sind.

Aus ethischer Sicht ist bedeutsam: Ebenso wichtig wie die Fähigkeit, in Resonanz zu gehen, ist es, Resonanzphänomenen auch widerstehen zu können. Dies kann man nur, wenn man es gelernt hat (ob auch ethische Grundhaltungen eine Spiegelresonanz erzeugen können, bliebe zu klären). Der Widerstand gegen Gruppenzwänge und Massenphänomene sollte daher – ebenso wie die Erfahrung erlebter Resonanz – ein Teil der Erziehung von Kindern sein. Schon Kinder sollten lernen, die Balance zwischen sozialer Resonanz und individueller Identität zu bewahren. Sie sollten erleben und lernen, dass es bedeutsam und wichtig ist, sich nicht jedem Spiegelungsangebot zu öffnen, dass man nicht jedem Gruppendruck nachgeben muss, dass es wichtig ist, die eigene Identität zu bewahren. Dies können Kinder nur lernen, wenn sie Vorbilder haben, das heißt, wenn ihre Bezugspersonen nicht selbst jedem Gruppendruck erliegen.

Die Wahrnehmung des Schönen oder: Das Gehirn ist kein Müllschlucker

Was hat das Schöne mit den Spiegelneuronen zu tun? Spiegelneurone sind das neurobiologische Verbindungsstück zwischen dem, was wir sehen, und dem, was wir selbst fühlen. Bilder der Zerstörung und Gewalt werden als neuronale Muster gespeichert, die dann in das Repertoire unserer Vorstellungen eingehen. Was vorher unvorstellbar war, wird, nachdem es gesehen und miterlebt wurde, in den

Pool der eigenen Bilder aufgenommen. Was dies für Menschen in Krisen- und Gewaltzonen bedeutet, die sich vor Bildern der Grausamkeit nicht schützen können, lässt sich nur erahnen. So als hätten wir des realen Grauens nicht genug, ergänzen wir in westlichen Ländern für unsere Jugendlichen das Angebot noch mit einer reichhaltigen Palette sadistischer Filme und immer perfekter gestalteter »Spiele«, die es möglich machen, am eigenen Computer Menschen zu jagen, zu quälen und zu töten. Aktuelle Studien belegen glasklar einen eindeutigen Zusammenhang zwischen dem Konsum dieser Angebote und der unter Jugendlichen auftretenden Gewalt.[2] Hier stellen sich Fragen einer Medienethik.

Was für die neurobiologischen Effekte des Zerstörerischen gilt, gilt für das Schöne auch: Alles, was wir sehen, hinterlässt in uns seine Spuren. Manche haben die Effekte, die das Schöne in uns auslösen kann, vielleicht etwas aus den Augen verloren. Die menschlichen Wahrnehmungskanäle sind voll von dem, was an akustischem und optischem Müll auf uns abgeladen wird. Sind wir gezwungen, alles auf uns einwirken zu lassen? Angesichts des immensen Aufwandes, den wir im Hinblick auf unser Ernährungsverhalten betreiben – ein ganzer Wirtschaftszweig lebt davon –, ist es erstaunlich, dass wir offenbar der Meinung sind, unser Gehirn sei ein Müllschlucker. Wir sollten – dies jedenfalls wäre die Konsequenz aus neurobiologischer Sicht – eine Wachsamkeit dafür entwickeln, welche Eindrücke wir an uns heranlassen, was uns persönlich gut tut und was nicht. Und wir sollten uns aktiver darum bemühen, mehr von dem zu sehen, mehr von dem zu erleben und mehr von

---

[2] Siehe zum Beispiel die bereits erwähnte Untersuchung von Jeffrey Johnson und Kollegen.

dem zu tun, was wir persönlich für schön halten. Wir sollten nicht nur gegenüber Magen, Herz und Leber, sondern auch gegenüber unserem Gehirn ein Diätbewusstsein entwickeln, mental etwas mehr à la carte essen und nicht jedes Fast Food hinunterwürgen, das uns vorgesetzt wird.

11.
Gene, Gehirn und die Frage
des freien Willens

Die Biologie ist keine zweite Physik.« Dieser Satz von Ernst Mayr, dem Anfang 2005 verstorbenen großen Forscher und Denker der Evolutionsbiologie, markiert, dass Lebewesen in der Tat ihre eigenen Gesetze haben. Die Regeln, nach denen lebende Systeme, von der Amöbe bis zu den Primaten, ihr Verhalten organisieren, sind etwas anderes als die physikalischen und chemischen Prinzipien von Ursache und Wirkung, nach denen eine Maschine funktioniert. Natürlich unterliegen auch lebende Systeme den Gesetzen der Physik und Chemie. Ihr *eigenes Verhalten* folgt jedoch nicht physikalischen oder chemischen Regeln. Lebewesen richten ihr Verhalten nach Signalen, die sie mit Wahrnehmungsorganen, zum Beispiel mit Rezeptoren oder Nervenfasern, registrieren. Eine gezielte Veränderung ihres Verhaltens können nur solche Umstände der äußeren Welt bewirken, für die ein biologisches System ein Wahrnehmungsorgan besitzt. Daher können Radioaktivität oder Gifte, für die wir keine Rezeptoren haben, uns zwar Schaden zufügen, unser *Verhalten* aber erst dann beeinflussen, wenn die durch unser Gehirn ermöglichte Intelligenz die Rolle eines Ersatzrezeptors übernommen hat.

Das neuerdings ins Interesse gerückte Prinzip Zufall findet im Fall von Lebewesen keine Anwendung, denn das Verhalten biologischer Systeme ist, indem es sich fortlaufend an Signalen orientiert, immer *gerichtet*. Welche Schlüsse ein Lebewesen aus einem erhaltenen Signal zieht, ist das Ergebnis eines biologischen Selbstorganisationsprozesses. Er besteht darin, dass die vom Lebewesen empfangenen Signale intern verarbeitet und bewertet werden, und zwar vor allem durch den Vergleich mit anderen Signalen. Die Zentralstelle der biologischen Selbstorganisation des Menschen ist das Gehirn, das sowohl aus dem eigenen Körper als auch aus der Umwelt eingehende Signale registriert, abgleicht, bewertet und in teils unwillkürlichen, teils bewusst gesteuerten Abläufen in Verhalten umsetzt. Das Ergebnis ist eine enorme Fähigkeit des Menschen, sich an laufend wechselnde Umweltsituationen anzupassen.

Auch Gene reagieren auf Signale

Verhalten findet nicht im körperlosen Raum statt, sondern ist immer zugleich auch Biologie. »Änderung des Verhaltens« bedeutet daher, dass sich Lebewesen zugleich auch biologisch verändern. Wie passt dies nun aber zu der Lehrmeinung, dass die Gene unseren Körper und unser Verhalten auf unveränderliche Weise determinieren? Verhaltensänderungen gehen immer mit biologischen Veränderungen einher.[1] Da sämtliche biologischen Prozesse auf der Aktivität von Genen basieren, stellt sich die Frage, was sich genetisch abspielt, wenn sich ein Lebewesen im Rahmen eines Verhaltenswandels auch biologisch verändert. Macht es

---

[1] Biologische Veränderungen sind jedoch nicht die Ursache, sondern sie sind selbst Teil des veränderten Verhaltens eines Lebewesens.

sich für einen Moment von der genetischen Steuerung frei? Dies ist nicht der Fall. Tatsächlich könnte ein lebendes System nicht auf Signale reagieren, wenn es die Gene nicht auch könnten. Entgegen einer zum Teil immer noch verbreiteten Ansicht fahren Gene nicht auf Autopilot, sondern werden in ihrer Aktivität durch Signale reguliert. Diese können ihren Ursprung in der Zelle selbst, außerhalb der Zelle oder in der Umwelt haben.[2]

Dass Verhaltensänderungen zugleich immer auch biologische Veränderungen sind, gilt auch für das Gehirn. Nervenzellnetze, mit denen wir bestimmte Wahrnehmungen wie zum Beispiel Schmerzen verarbeiten, verstärken ihre Verschaltungen, wenn das entsprechende Signal häufig auftritt. Ebenso werden Synapsen abgebaut, wenn ein Signal lange Zeit nicht mehr aufgetreten ist. Das Gleiche gilt für Nervenzellnetze, die bestimmte Handlungen kodieren: Was benutzt wird, führt zu einer Verstärkung der neurobiologischen Schaltkreise, was nicht trainiert wird, reduziert sie (»use it or lose it«). Dies bedeutet: Wenn Umwelten regelmäßig und über lange Zeit Signale einer bestimmten Art produzieren, dann passt sich nicht nur das Verhalten, sondern auch das begleitende neurobiologische Geschehen *strukturell* an diese Situation an. Pianisten entwickeln zum Beispiel eine messbare Verdichtung und Vergrößerung derjenigen Areale der Hirnrinde, in denen die Bewegungssteuerung der Hände kodiert ist. Menschen, die extreme

---

[2] Signalwege, welche die Genaktivität regulieren, unterliegen sogar einem Trainings- oder Lerneffekt: Neueste neurobiologische Studien zeigen, dass neugeborene Tiere oder Menschen, die früh im Leben häufigem Stress ausgesetzt waren, als Erwachsene auf Standardstress mit einer stärkeren Aktivierung der Stress-Gene reagieren als Vergleichstiere bzw. Vergleichspersonen (siehe zum Beispiel die bereits erwähnte Studie von Ian Weaver und Kollegen).

traumatische Situationen erlitten haben, weisen eine nachweisbare Veränderung Angst verarbeitender Hirnareale auf, insbesondere eine massive Empfindlichkeitserhöhung des Mandelkerns[3]. Für Lebewesen wie den Menschen besteht die »Umwelt« in hohem Maße aus sozialen Interaktionen. Zwischenmenschliche Beziehungen sind für den Menschen die bedeutendste Quelle von Signalen, die Einfluss auf Verhalten und biologische Reaktionen haben.

Für den Menschen, eine Spezies, die sich an außerordentlich unterschiedliche, dazu häufig wechselnde Situationen immer wieder neu anzupassen hat, wäre es wenig vorteilhaft, wenn ihm nur *ein* Anpassungsprogramm zur Verfügung stünde. Schlecht wäre es außerdem, wenn er erst in dem Moment, da eine Situation bereits eingetreten ist, beginnen würde, ein an diese angepasstes Verhalten zu entwickeln und die dafür notwendigen biologischen Systeme zu optimieren. Für unterschiedliche, sich im Laufe der Zeit immer wieder einstellende Herausforderungssituationen hat der Mensch daher ein Arsenal von darauf jeweils abgestimmten Anpassungsreaktionen aufgebaut, und er hat diese bei Bedarf als abrufbare Programme sofort parat. Der Hirnmantel, auch Hirnrinde oder Cortex genannt, besitzt neuronale Netzwerke mit Programmen, die in entsprechenden Situationen eine schnelle Anpassungsreaktion veranlassen können. Von zentraler Bedeutung sind dabei Handlungsprogramme.[4] Da ein Lebewesen immer auch abschätzen muss, wie sich bestimmte Aktionen subjektiv anfühlen würden, müssen die Handlungsprogramme beglei-

---

[3] Dieser wird auch Amygdala genannt.

[4] Diese sind, wie in Kapitel 2 dargestellt, in der prämotorischen Hirnrinde gespeichert.

tet sein von Programmen für Körperempfindungen.[5] Auch in den Emotionszentren (vorderer Gyrus cinguli und Amygdala) sind Programme gespeichert, die in einer plötzlich eintretenden Situation als Teil einer Gesamtanpassungsreaktion rasch abgerufen werden können.

Ein neurobiologisches Format für gemeinsame, sozial verbindende Handlungsprogramme

Was ein Individuum an Programmen für Handlungen und Empfindungen besitzt, ist, dies ist eine der zentralen Botschaften der Spiegelneurone, keine gänzlich individuelle Angelegenheit. Die Reaktionsprogramme, die jeder für typischerweise vorkommende Situationen bereithält, können von Mensch zu Mensch durch Resonanz aktiviert, abgeglichen und kommuniziert werden. Denn überall dort im Gehirn, wo Programme für Handlungssequenzen und dazugehörende Empfindungen gespeichert sind, haben sich Spiegelnervenzellen eingenistet. Wo Spiegelsysteme vorhanden sind, werden neuronale Programme nicht nur aktiviert, wenn das Individuum *selbst* eine Aktion oder Reaktion vorbereitet, sondern auch dann, wenn es *miterlebt*, wie jemand *anders* die betreffende Handlung ausführt. Die Spiegelneurone stellen somit eine Art soziales neurobiologisches Format dar, sie sind das gemeinsame Vielfache, in dem sich jeder Einzelne, aber auch die Gemeinschaft wiederfindet.

---

[5] Diese sind in unmittelbarer Nähe der somatosensiblen Hirnrinde, im so genannten inferioren Parietallappen der Hirnrinde, gespeichert (siehe Kapitel 2).

Was bedeutet dies für die Frage, wodurch der Mensch sein Verhalten steuert, was bedeutet es für die Frage des freien Willens? Was passiert, wenn ein Mensch eine Handlung plant und diese durchführt? Als Erstes werden – wie ich im zweiten Kapitel ausgeführt habe – im Gehirn Nervenzellnetze aktiv, die Programme für die Handlungs*planung* kodieren. Nicht jede dieser Aktivierungen führt auch tatsächlich zu einer Handlung. Es kann auch bei einem Handlungsgedanken, bei der Vorstellung einer Handlung bleiben. Die Nervenzellnetze, in denen Programme für Handlungen abgespeichert sind, stellen also einen *Planungsraum* dar, in dem innere *Vorstellungen* und *Gedanken* darüber erzeugt werden, was das Individuum Wirklichkeit werden lassen *könnte*, was aber nicht Wirklichkeit werden *muss*. Da sich hier aber auch Spiegelneurone eingenistet haben, hat nicht nur das Subjekt, sondern auch seine soziale Umgebung Zugang zu diesem Planungsraum.

Das Terrain des freien Willens

Wenn wir das Tun anderer Menschen beobachten oder miterleben, werden in uns zu diesem Tun gehörende Vorstellungen und Gedanken angeregt. Beim Neugeborenen sowie beim Kleinkind führt die durch Beobachtung ausgelöste neurobiologische Resonanz in einem hohen Grad auch zu den entsprechenden Verhaltensweisen: Säugling und Kleinkind zeigen eine starke Tendenz, das, was sie sehen, auch selbst zu machen. Sobald hemmende Bereiche des vorderen Frontalhirns ausgereift sind, erwirbt der Mensch, wie bereits ausgeführt, die Fähigkeit, die mit Spiegelungsvorgängen einhergehenden Imitationsimpulse zu kontrollieren: Was beim Kind gleich zur imitierenden Tat werden musste, kann beim reifen Erwachsenen nur Gedanke bleiben. Der vordere Teil des Frontalhirns wird als der Ort der Selbststeuerung angesehen. Tragischerweise kann es bei Erkrankungen, unter anderem bei schweren Formen der Schizophrenie oder bei Frontalhirnverletzungen, zu einer Rückkehr zum Imitationsverhalten kommen.

Nun wird klar, wie das Terrain aussieht, das der »freie Wille« zur Verfügung hat: Er kann sich die eigene Person und die Welt nicht neu erfinden, sondern ist zunächst einmal an die Gesamtheit der im eigenen Gehirn gespeicherten Programme für Handeln, körperliches Empfinden und emotionales Fühlen gebunden. Hier tut sich ihm – bei einem durchschnittlich entwickelten Menschen – allerdings ein beachtliches Terrain auf. Wahlmöglichkeiten bestehen nicht nur darin, in einer bestimmten gegebenen Situation ein Handlungs- oder Empfindungsprogramm zuzulassen oder abzublocken. Vielmehr bringt es die Lebenserfahrung mit sich, dass für jede Situation meist mehrere Reaktionsprogramme möglich sind, aus denen ausgewählt werden kann und muss.

In die Entscheidung, welches von mehreren in einer bestimmten Situation möglichen Programmen aktiviert wird, gehen drei Aspekte ein: 1. Das erste Kriterium ist die biologische und emotionale Situation des eigenen Körpers. Hier spielen nicht nur biologische Grundbedürfnisse (zum Beispiel Hunger, Müdigkeit, Bewegungsdrang), sondern auch emotionale Befindlichkeiten eine Rolle. 2. Ein zweiter, mindestens ebenso starker Entscheidungsfaktor ist der Wunsch, Bindungen zu sichern und maßgeblichen Bezugspersonen in Liebe verbunden zu bleiben. Dieser Aspekt ist – über die Belohnungssysteme des Gehirns – biologisch verankert und spielt bei allen in sozialen Gemeinschaften lebenden Wesen manchmal eine bedeutendere Rolle als die Sicherung eigener vitaler Bedürfnisse (beispielsweise, wenn andere unter Lebensgefahr verteidigt werden). 3. Ein dritter in die Entscheidung eingehender Aspekt sind Fragen des sozialen Rangs bzw. der sozialen Anpassung. Handlungsprogramme, die dem gesellschaftlichen Konsens zuwiderlaufen oder zu Konflikten mit ranghöheren bzw. stärkeren Individuen führen, sind meistens wenig vorteilhaft.

Der freie Wille als Resultat eines Selbstorganisationsprozesses

Jede Lebenssituation, in der uns eine Entscheidung abverlangt wird, basiert auf zahllosen Voraussetzungen und Bedingungen. Sie besteht außerdem aus zahlreichen aktuellen Aspekten. Und sie lässt immer mehrere Entscheidungsmöglichkeiten zu. Eine von einem Menschen – spontan oder auf der Basis eines bewussten Willensaktes – gefällte Entscheidung ist daher niemals durch einen einzelnen Aspekt begründet. Was ich bereits eingangs betont habe, wird jetzt mit erdrückender Evidenz deutlich: Das Verhalten biologischer Systeme ist nicht die Wirkung einer Ursache, sondern das Ergebnis eines inneren Selbstorganisationsprozesses. Im Zentralnervensystem des Menschen ist dieser Prozess so organisiert, dass eine im vorderen Frontalhirn gelegene Instanz die Möglichkeit hat, in jeder Situation eine Wahl zu treffen. Diese Wahl ist nicht beliebig möglich, auch das Frontalhirn kann sich keine neue Welt erfinden.

Den Rahmen für eine einzelne Entscheidung bildet damit zum einen das dem Individuum zur Verfügung stehende Spektrum von Handlungsprogrammen, die es im Laufe seines Lebens abspeichern konnte. Zum anderen müssen die oben genannten drei inneren und äußeren Aspekte Berücksichtigung finden. Nichts anderes als das, was vom Individuum auf der Basis dieser Situation entschieden wird, ist der – auf Grund einer gesellschaftlichen Übereinkunft so genannte – freie Wille. Ein so definierter freier Wille ergibt auch neurobiologisch Sinn.

Der freie Wille wurde kürzlich von prominenten deutschen Neurobiologen in Frage gestellt. Die Experimente, auf die sie sich dabei berufen haben, sind allerdings nicht geeignet, etwas über den freien Willen auszusagen, worauf kürzlich auch Jürgen Habermas in seiner berühmten Kyoto-Rede hingewiesen hat. Ein freier Wille ist nur dort in Frage zu stellen, wo eine oder mehrere der erwähnten Voraussetzungen nicht vorhanden sind, und dies ist vor allem unter den folgenden drei Umständen anzunehmen: 1. wenn Krankheit oder Verletzung die Funktion des Frontalhirns beeinträchtigt haben; 2. wenn eine schwere seelische Erkrankung (in der Regel eine Psychose) den neurobiologischen und psychischen Selbstorganisationsprozess, der für eine freie Entscheidung notwendig ist, nicht möglich macht; oder 3. wenn extrem atypische Lebensverhältnisse bei einem Menschen dazu geführt haben, dass ihm in einer gegebenen Situation die üblicherweise vorhandene Auswahl an Handlungsmöglichkeiten (Handlungsprogrammen) nicht zur Verfügung steht, sondern in massiver Weise eingeengt ist.

Das Postulat des freien Willens aufzugeben macht nicht nur aus dem Blickwinkel der Neurobiologie keinen Sinn. Dieses Postulat wissenschaftlich zu beerdigen hätte – von der akademischen Debatte ganz abgesehen – eine völlig unsinnige pragmatische Konsequenz: Falls wir den Glauben, dass Menschen keine freien Willensentscheidungen treffen können und für ihre Handlungen eigentlich auch nicht zur Rechenschaft zu ziehen sind, zum neuen sozialen Konsens erklärten, würde dies zu einer »self-fullfilling prophecy« werden, da dann der Aspekt der sozialen Anpassung entfiele, der von jedem gesunden Individuum bisher bei jeder Entscheidung berücksichtigt wurde (siehe oben).

Die Spiegelneurone lehren uns, dass Nervenzellnetze, die mit der Planung von Handlungen beschäftigt sind, dem Individuum einen Raum zur Verfügung stellen, in dem Vorstellungen über Handlungen, also Handlungsgedanken, erzeugt und in der Schwebe gehalten werden können, ohne dass es notwendigerweise auch zur Umsetzung der entsprechenden Aktion kommen muss. Dieser Planungs-, Vorstellungs- und Gedankenraum ist zugleich ein Ort von neurobiologischen Spiegelungs- und Resonanzphänomenen: Was wir bei anderen beobachten oder miterleben, ruft in uns korrespondierende Gedanken und Impulse wach. Ob wir sie als Vorstellungen in der Schwebe halten oder sie in uns selbst realisieren, können wir – vorausgesetzt, wir gehören zu denen, die sich einer durchschnittlichen seelischen Gesundheit erfreuen – abwägen.

12.
Spiegelung als Leitgedanke der Evolution

Die Bezeichnungen, die wir den Objekten der Welt geben, haben ihren neurobiologischen Ort in der prämotorischen Hirnrinde, also dort, wo über Handlungen nachgedacht wird (siehe Kapitel 2). Aus der Sicht des Gehirns erhalten unbelebte und belebte Objekte der äußeren Welt ihre Bedeutung durch die *Handlungs- und Interaktionsmöglichkeiten*, die sich durch sie eröffnen. Die Vorstellungen von diesen Möglichkeiten, die ein Objekt in unserem Gehirn wachruft, basieren auf den Handlungs- und Interakti*onserfahrungen*, die das Individuum bisher mit ihm gemacht hat. Das Gehirn kartiert also die Welt als eine Sammlung von Handlungs- und Interaktionsoptionen. Die Welt ist, was wir mit ihr machen und wie wir mit ihr interagieren können. Auch Menschen werden so gesehen: Ihr Bild von ihnen in uns besteht aus unseren motorischen, sensorischen und emotionalen Interaktionserfahrungen mit ihnen (siehe Kapitel 5).

Ein gemeinsamer neurobiologischer Bedeutungsraum

Die in den vorangegangenen Kapiteln formulierten Erkenntnisse lassen sich wie folgt zusammenfassen: Zur Wahrnehmung und inneren Abbildung anderer Menschen setzt das Gehirn dieselben Programme ein, mit denen es sich auch sein Bild von sich selbst modelliert: Untersuchungen am Tier sowie Studien mit modernen bildgebenden Verfahren am Menschen zeigen, dass das Gehirn die eigene Person durch Programme für Handlungssequenzen (untere prämotorische Hirnrinde), für Körperempfindungen (untere parietale Rinde) und für emotionale Gefühle (vorderer Gyrus cinguli, Mandelkern) repräsentiert. Die Beobachtung eines handelnden anderen aktiviert im Gehirn des Beobachters – im selben Moment – nicht nur die gleichen, sondern teilweise dieselben Netzwerke, die in Aktion träten, wenn der Beobachter selbst die Handlung vollzöge, die soeben vom Beobachteten vollzogen wird. Entsprechende Resonanzen zeigen auch die für Körperempfindungen und Emotionen zuständigen neurobiologischen Systeme. Dies bedeutet, dass sich das Gehirn eines inneren Simulationsprogramms bedient, wenn es einen anderen Menschen wahrnimmt. Er wird mit den gleichen Systemen modelliert wie die eigene Person. Dieser durch Spiegelnervenzellen vermittelte Vorgang läuft vorgedanklich, vorsprachlich und spontan ab. Er ist die neurobiologische Grundlage für intuitives Wahrnehmen und Verstehen. Da dieser Mechanismus allen Menschen eigen ist, stellt das System der Spiegelnervenzellen ein *überindividuelles neuronales Format* dar, durch das ein *gemeinsamer zwischenmenschlicher Bedeutungsraum* erzeugt wird.[1] Da der Inhalt dieses gemeinsamen menschlichen Bedeutungsraumes Programme für alle typischen, erfahrungsgemäß auftretenden Sequenzen des Handelns und Empfindens innerhalb der eigenen Spezies enthält, bildet er zugleich auch die intuitive Basis für

---

[1] Diesen Raum hat, wie bereits erwähnt, Vittorio Gallese als »shared meaningful intersubjective space« bezeichnet.

das Gefühl einer – im großen Ganzen – berechenbaren, vorhersagbaren Welt. Da darin auch die Vorhersagbarkeit und Berechenbarkeit des Verhaltens anderer Menschen eingeschlossen ist, stellt der durch das System der Spiegelneurone gebildete »shared meaningful intersubjective space« auch die Basis dessen dar, was wir (Ur-)Vertrauen nennen.

Der Körper als Basis mentaler Operationen

Einsichten, die sich aus der Erforschung der Spiegelneurone ergeben, reichen über die Neurobiologie und die Medizin hinaus. Dazu gehört die Erkenntnis, dass sämtliche mentalen Operationen letztendlich auf Erfahrungen beruhen, die wir als *handelnde körperliche* Wesen machen. Die Modelle der Welt (bzw. ihrer Objekte), die unser Gehirn entwirft, bestehen aus Programmen, die Handlungen, Interaktionen und Empfindungen biologischer Akteure beschreiben. So elaboriert die Schlussfolgerungen sein mögen, die wir daraus auf verschiedenen Abstraktionsebenen ableiten, so sehr sind es doch die *Erfahrungen handelnder, lebender Körper*, welche die Grundlage aller Überlegungen und Konzepte sowie – durch die Spiegelneurone in den intersubjektiven Raum gehoben – die Basis für Intersubjektivität und für alle darin möglichen Verstehensprozesse darstellen. Was bilden diese Verstehensprozesse ab? Sie bilden Sequenzen von Handlungen, Empfindungen und Interaktionen ab. Die Subjekte dieser Handlungen und Interaktionen sind die belebten Körper, lebende Akteure.

Wie Untersuchungen an Primaten zeigen, sind intuitive Verstehensprozesse und die Lernerfahrungen, die sich aus ihnen ableiten lassen, nicht auf die Sprache angewiesen.

Die Sprache ist jedoch das einzige Medium, in dem wir diese Prozesse explizit beschreiben können. Auch das, was mit ihr ausgedrückt, vermittelt und kommuniziert wird, hat die körperliche Erfahrung lebender Subjekte als Basis. Überlegungen in dieser Richtung wurden, von einem ganz anderen Ansatz her, vereinzelt bereits von philosophischer Seite angestellt und befinden sich zum Beispiel in der Nähe von Gedanken Edmund Husserls. Schon er hatte auf die Rolle hingewiesen, die unsere intersubjektiv geteilten Erfahrungen als biologische Wesen für unsere kognitiven Prozesse und für die Welt unseres Denkens haben.

Das System der Spiegelneurone dürfte eine besonders bedeutsame Funktion für die Entwicklung des Menschen und seiner Kulturen (gehabt) haben: eine sowohl innerhalb der gleichen Art als auch eine über die Generationen hinweg mögliche Konservierung und Weitergabe von Wissensbeständen. Die Möglichkeit, mit den Spiegelneuronen ein in jedem Individuum vorhandenes, aber zugleich auch allen gemeinsames neurobiologisches Format nutzen zu können, bedeutet, dass ein gemeinsamer Pool von Programmen zur Verfügung steht. Diese Programme sind auf Erfahrung basierende Sammlungen von Wissen. Die Spiegelsysteme sind eine Art Gedächtnis der Menschheit: In den Hunderttausenden von Jahren vor der Erfindung von Schrift, Buch und Internet waren diese Wissensbestände gleichsam lebende Bibliotheken, die – dank dem System der Spiegelneurone – über Resonanz und »Lernen am Modell« von einer Generation an die nächste weitergegeben werden konnten. Eine solche Weitergabe war bereits zu einer Zeit möglich, als es noch keine Sprache gab, denn der im Spiegelsystem verankerte Resonanzmechanismus funktioniert vorsprachlich. Das System der Spiegelneurone dürfte aber, wie bereits an früherer Stelle ausgeführt, eine entscheidende *Voraussetzung* für die Entwicklung der menschlichen Sprache gewesen sein, da diese Vorstellungen über Abläufe und Sequenzen beschreibt, die im System der Spiegelneurone als Programme gespeichert sind (wie schon in Kapitel 4 erwähnt, hat sich die Sprachkompetenz in Nervenzellnetzen entwickelt, die auch Sitz von Spiegelneuronen sind).

»Survival of the fittest« oder »Survival of resonance«

Wir könnten mit Blick auf die Evolution die Frage stellen: Welchen »Sinn« sollte es machen, dass Resonanz- und Spiegelphänomene, dass intuitives Verstehen und Verstanden-Werden für zahlreiche höhere Spezies eine besondere Bedeutung haben? Aus der Sicht der Evolutionstheorie Charles Darwins lautet die Antwort, dass Spiegelung und Resonanz nicht nur soziale Bindungen, sondern innerhalb der Art intuitiv aufeinander abgestimmtes Verhalten ermöglichen, um sozialen Zusammenhalt zu erzeugen und das Überleben des Einzelnen – via Überleben in der Gruppe – zu sichern.

Doch Resonanz könnte mehr sein als ein Überlebensprinzip. Bei anderen Resonanz zu finden, anderen selbst Resonanz zu geben und zu sehen, dass sie ihnen etwas bedeutet, ist ein biologisches Grundbedürfnis – jedenfalls lässt sich das für höhere Lebewesen nachweisen. Unser Gehirn ist – Thomas Insel, Direktor des NIMH, hat dies kürzlich in einer eindrucksvollen Übersichtsarbeit zusammengefasst – neurobiologisch auf gute soziale Beziehungen geeicht. Dies zeigen bereits zahlreiche ältere Beobachtungen zu den letztlich tödlichen Folgen von sozialer Isolation. Personen, die von sozialer Ächtung betroffen sind, zeigen eine signifikante Aktivierung neurobiologischer Schmerzzentren.

Vielleicht müssen wir vor diesem Hintergrund einige allzu einfache Annahmen über die Evolution reflektieren, die auf Charles Darwin und den britischen Philosophen Herbert Spencer zurückgehen, dessen Begriff vom »survival of the fittest« Darwins Zustimmung fand. Von Herbert Spencers Sozialdarwinismus zieht sich eine Linie über die Irrwege des vergangenen Jahrhunderts bis zu neueren Vorstellungen eines genetischen Darwinismus[2]. So sehr der »Kampf ums Überleben« eines der Motive eines einzelnen Lebewesens sein mag, so wenig eindeutig sind die Anhaltspunkte dafür, dass er der Leitgedanke der Evolution ist. Sowohl die von Lebewesen entwickelten Verhaltensreservoirs als auch biologische Anpassungsvorgänge werden seit Darwin und Spencer bis heute ausschließlich als dem Überleben dienende Strategien gedeutet. Lebende Systeme zeigen jedoch beides: einerseits ein Bemühen, das eigene Überleben zu sichern, andererseits eine permanente Suche nach Passung und Spiegelung. Ob das Letztere dem Ersteren untergeordnet ist, darf bezweifelt werden.

Könnte es sein, dass »fitness« und »survival« nur Begleiterscheinungen des Bemühens um Spiegelung und Kommunikation sind? Das starke Alphatier, das sich beim Kampf um die besten Weibchen gegen alle Konkurrenten durch-

---

[2] Siehe Richard Dawkins: *The Selfish Gene* (1990). Tatsächlich sind Gene nicht »selbstsüchtig«. Alles, was sich über das »Verhalten« von Genen wirklich sagen lässt, ist erstens, dass sich die DNA der Erbsubstanz in *spiegelnder* Weise paart (einzige Ausnahme ist die einsträngige DNA einiger Virussorten), und zweitens, dass jedes Gen Abschnitte mit hochspezifisch passenden Bindungsstellen für von außen kommende Signalsubstanzen hat, durch die sich das Gen in seiner Aktivität regulieren lässt.

setzen konnte, wäre – trotz aller Gene – nicht zu einem solchen Exemplar geworden, hätte es als Säugling nicht Förderung erfahren und als Jungtier nicht die Möglichkeit gehabt, seine kämpferischen »Begabungen« durch Lernen und Üben erst einmal zur Entfaltung zu bringen. Jungtiere und Menschen, die früh nach der Geburt sozial isoliert werden, zeigen trotz ausreichender Ernährung durchweg massive seelische und körperliche Beeinträchtigungen, entwickeln ein gestörtes und sozial inkompetentes Verhalten und gehen häufig ein. Da helfen alle guten Gene nichts.

Spiegelungsphänomene mögen weniger aufsehenerregend sein als ein Szenarium, welches die Evolution als einen fortwährenden Kampf ums Überleben modelliert.[3] Sie sind jedoch weitaus weniger banal und – im Hinblick auf ihre genialen Mechanismen – weitaus faszinierender. Spiegelungsphänomene haben in der Evolution möglicherweise den gleichen Rang wie die Prinzipien vom »survival of the fittest«. Das Bemühen um Passung, Spiegelung und Resonanz durchzieht die gesamte Biologie. Es beginnt bei der Erbsubstanz selbst: Die DNA aller Lebewesen vom Bakterium aufwärts ist eine paarige, auf Spiegelung und Passung angelegte Substanz. Hinweise auf Spiegelungs- und Resonanzphänomene primitiver Art finden sich selbst bei einigen Pflanzen, die sich über Botenstoffe so verständigen können, dass sich bei Auftreten eines schädigenden Faktors auch noch nicht betroffene Pflanzen in einen Abwehrzustand begeben. Das intuitiv abgestimmte, reaktionsschnelle

---

[3] Darwins Evolutionstheorie war differenziert. Anpassungsvorgänge spielten bei ihm eine entscheidende Rolle. Worauf ich mich hier beziehe, ist das, was sich im Gefolge des von Spencer formulierten Sozialdarwinismus bis hin zu modernen Vorstellungen entwickelt hat.

Verhalten von Fisch- und Vogelschwärmen wäre ohne Spiegelmechanismen überhaupt nicht denkbar. Differenzierte Spiegelphänomene zeigen sich bei vielen in sozialen Gruppen lebenden höheren Wirbeltieren, unter anderem bei Hunden und Affen. Besonders interessant ist, dass bestimmte Spiegelphänomene speziesübergreifend auftreten können, zum Beispiel zwischen Affe und Mensch: Affen aktivieren prämotorische Spiegelneurone, wenn sie bestimmte, von einem Menschen ausgeführte Handlungen sehen (auch das Umgekehrte dürfte teilweise der Fall sein). Interessant sind auch Spiegelphänomene zwischen Mensch und Hund, die teilweise ja in sozialer Gemeinschaft leben: Spiegelndes Verhalten zwischen diesen beiden Spezies lässt sich zum Beispiel dann beobachten, wenn der Mensch (oder der Hund) seine Aufmerksamkeit spontan und intuitiv auf den Gegenstand richtet, den der Hund (oder der Mensch) gerade fixiert. Spezies, die untereinander spiegeln können, bilden gleichsam »befreundete« Artenfamilien.

Spiegelung: eine Art Gravitationsgesetz lebender Systeme

Neurobiologische Resonanzphänomene, die es möglich machen, dass ein Individuum durch die Wahrnehmung eines anderen Individuums dessen inneren Zustand unwillkürlich simulieren kann, sind von überragender biologischer Bedeutung. Sie sind die Grundlage dafür, dass sich die Individuen einer Art untereinander verstehen, sich als einander zugehörig erkennen und ihr Verhalten auf vielfältige Weise intuitiv aufeinander abstimmen können. Darüber hinaus dient das System der Spiegelneurone, das für diese Phänomene die neurobiologische »Hardware« stellt, mit seinen Programmen als bedeutsamer Speicher von Wissensbeständen. Diese können nicht nur von Individuum zu Individuum, sondern auch von Generation zu Generation weitergegeben werden.

Angesichts der vielfältigen Spiegelungsphänomene, die von der DNA bis zum Menschen reichen, könnte man daran denken, Spiegelung und Resonanz als das Gravitationsgesetz lebender Systeme zu bezeichnen. »Survival of the fittest« ist möglicherweise nicht das einzige Leitprinzip der Evolution, sondern wäre zu ergänzen durch ein weiteres, *eigenständiges* biologisches Kernmotiv: die Suche nach Passung, Spiegelung und Abstimmung zwischen biologischen Systemen. Aus Letzterem haben sich die differenzierten, intuitiven kommunikativen Phänomene entwickelt, die wir beim Menschen beobachten können. Zumindest für den Menschen gilt: Nicht dass wir um jeden Preis überleben, sondern dass wir andere finden, die unsere Gefühle und Sehnsüchte binden und spiegelnd erwidern können, ist das Geheimnis des Lebens.

Anhang

Literatur[1]

Adolphs, R.: Neural systems recognizing emotions. Current Opinion in Neurobiology 12: 169–177, 2002

Adolphs, R., Damasio, H., Tranel, D.: Neural systems for recognition of emotional prosody: A 3-D lesion study. Emotion 2: 23–51, 2002

Adolphs, R., Tranel, D., Damasio, A. R.: Dissociable neural systems for recognizing emotions. Brain and Cognition 52: 61–69, 2003

Allison, T., Puce, A., McCarthy, G.: Social perception from visual cues: Role of the STS region. Trend in Cognitive Sciences 4: 267–278, 2000

Altmeyer, M.: Narzissmus und Objekt. Ein intersubjektives Verständnis der Selbstbezogenheit. Vandenhoeck & Ruprecht, 2000

Altmeyer, M.: Videor ergo sum. Vortrag bei den Lindauer Psychotherapiewochen, 15. 4. 2002

Anderson, J. et al.: Contagious yawning in chimpanzees. Proceedings of The Royal Society B (Suppl.), 2004

Babiak, P.: Vortrag auf dem Euroscience Open Forum. 25.–28. August 2004, Stockholm. Siehe auch: Laura Spinney: Snakes in Suits. New Scientist, 21. 8. 2004

Bates, E., Dick, F.: Language, gesture, and the developing brain. Psychobiology 40: 293–310, 2002

Bauer, J., Häfner, S., Kächele, H., Wirsching, M., Dahlbender R. W.: Burn out und Wiedergewinnung seelischer Gesundheit am Arbeitsplatz. Psychotherapie Psychosomatik Medizinische Psychologie 53: 213–222, 2003

---

[1] Bei zitierten Büchern entspricht das angegebene Jahr nicht unbedingt dem Ersterscheinungsjahr, sondern bezeichnet das Erscheinungsjahr der derzeit verfügbaren Buchausgabe.

Bauer, J.: Integrating Psychiatry, Psychoanalysis, Neuroscience. Psychotherapie Psychosomatik Medizinische Psychologie 51: 265–266, 2001

Bauer, J.: Das Gedächtnis des Körpers. Piper Verlag, 2004

Bauer, J., Kächele, H.: Die psychosomatische Medizin – ihr Verhältnis zur Neurobiologie und zur Psychiatrie. Psychotherapie. Band 10, Heft 1, 2005

Binkofski, F., Buccino, G., Zille, K., Fink, G. R.: Supramodal representation of objects and actions in the human inferior temporal and ventral premotor cortex. Cortex 40: 159–161, 2004

Binkofski, F., Buccino, G.: Motor functions of the Broca's region. Brain and Language 89: 362–369, 2004

Blanke, O., Ortigue, S., Landis, T., Seeck, M.: Simulating illusory own-body perceptions. Nature 419: 269–270, 2002

Blanke, O., Landis, T., Spinelli, L., Seeck, M.: Out-of-body experience and autoscopy of neurological origin. Brain 127: 243–258, 2004

Bremmer, F.: The perception of inferred action. Neuron 31: 6–7, 2001

Buber, M.: Das dialogische Prinzip. Gütersloher Verlagshaus, 2002

Buccino, G., Binkofski, F., Fink, G. R., Fadiga, L., Fogassi, L., Gallese, V., Seitz, R. J., Zille, K., Rizzolatti, G., Freund, H. J.: Action observation activates premotor and perietal areas in a somatotopic manner: an fMRI study. European Journal of Neuroscience 13: 400–404, 2001

Butler, J.: Kritik der ethischen Gewalt, Adorno-Vorlesungen 2002. Suhrkamp, 2003

Cannon, W. B.: »Voodoo« Death. Psychosomatic Medicine 19: 182, 1957

Carr, L., Iacoboni, M., Dubeau, M. C., Mazziotta, J. C., Lenzi, G. L.: Neural mechanisms of empathy in humans: a relay from neural systems for imitation to limbic areas. Proceedings of the National Academy USA 100: 5497–5502, 2003

Christakis, D. A., Zimmermann, F. J., DiGiuseppe, D. L., McCarthy, C. A.: Early television exposure and subsequent attentional problems in children. Pediatrics 113: 708–713, 2004

Cierpka, M.: Faustlos. Ein Curriculum zur Prävention von aggressivem und gewaltbereitem Verhalten. Hogrefe, 2001

Conradi, E.: Take care. Campus Verlag, 2001

Cotton, J. C.: Normal visual hearing. Science 82: 592–593, 1935

Critchles, H. D., Wiens, S., Rothstein, P., Öhmann, A., Dolan, R. J.: Neural systems supporting interoceptive awareness. Nature Neuroscience 7: 189–195, 2004

Decety, J., Sommerville, J. A.: Shared representations between self and other: a social cognitive neuroscience view. Trends in Cognitive Sciences 7: 527–533, 2003

Decety, J., Chaminade, T.: When the self represents the other: a new cognitive neuroscience view on psychological identification. Consciousness and Cognition 12: 577–596, 2003

Decety, J., Chaminade, T.: Neural correlates of feeling sympathy. Neuropsychologia 41: 127–138, 2003

Dimberg, U., Thunberg, M., Elmehed, K.: Unconscious facial reactions to emotional facial expressions. Psychological Science 11: 86–89, 2000

Dimberg, U., Petterson, M.: Facial reactions to happy and angry facial expressions: evidence for right hemispheric dominance. Psychophysiology 37: 693–696, 2000

Dimberg, U., Thunberg, M., Grunedal, S.: Facial reactions to emotional stimuli: automatically controlled emotional responses. Cognition and Emotion 16: 449–471, 2002

Dornes, M.: Der kompetente Säugling. Fischer Taschenbuch, 1993

Dornes, M.: Über Mentalisierung, Affektregulierung und die Entwicklung des Selbst. Forum für Psychoanalyse 20: 175–199, 2004

Eisenberger, N., Lieberman, M. D., Williams, K. D.: Does rejection hurt? An fMRI study of social exclusion. Science 302: 290–292, 2003

Ferrari, F., Gallese, V., Rizzolatti, G., Fogassi, L.: Mirror neurons responding to the observation of ingestive and communicative mouth actions in the monkey ventral premotor cortex. European Journal of Neuroscience 17: 1703–1714, [1]2003

Fogassi, L., Gallese, V.: The neural correlates of action understanding in non-human primates. In: Mirror neurons and the evolution of brain and language (Maxim I. Stamenov, Vittorio Gallese, eds.). John Benjamins Publishing Company, Amsterdam 2003

Fonagy, P: The human genome and the representational world: the role of early mother-infant interaction in creating an interpersonal interpretative mechanism. Bulletin of the Menninger Clinic 65: 427–448, 2001

Gallese, V., Fadiga, L., Fogassi, L., Rizzolatti, G.: Action representation and the inferior parietal lobe. In: Common mechanisms in
perception and action (Wolfgang Prinz, Bernhard Hommel, eds.).
Oxford University Press, 2002

Gallese, V.: The roots of empathy: The shared manyfold hypothesis
and the neural basis of intersubjectivity. Psychopathology 36:
171–180, 2003

Gallese, V.: The manifold nature of interpersonal relations: the quest
for a common mechanism. Philosophical Transactions of The
Royal Society London B 358: 517–528, 2003

Gallese, V.: A neuroscientific grasp of concepts: from control to representation. Philosophical Transactions of The Royal Society
London B 358: 1231–1240, 2003

Gallese, V., Metzinger, T.: Motor ontology: the representational re-
ality of goals, actions and selves. Philosophical Psychology 16:
365–388, 2003

Gilligan, C.: Die andere Stimme. Lebenskonflikte und Moral der
Frau. Piper Verlag, 1985

Goleman, D.: Emotionale Intelligenz. dtv Taschenbuch, 1997

Gopnik, A., Meltzoff, A. N., Kuhl, P.: The scientist in the crib. What
early learning tells us about the mind. Perennial/HarperCollins
Publishers, 1999

Gündel, H., Ceballos-Baumann, A. O., von Rad, M.: Aktuelles zu psy-
chodynamischen und neurobiologischen Einflussfaktoren in der
Genese der Alexithymie. Psychotherapie Psychosomatik Medizinische Psychologie 52: 479–486, 2002

Habermas, J.: Um uns als Selbsttäuscher zu entlarven, bedarf es
mehr. Frankfurter Allgemeine Zeitung, 15. 11. 2004

Hackenbroch, V.: Blind für Wut und Freude. Der Spiegel Nr. 49:
190–199, 2003

Hainmüller, H.: Das Apriori des Körpers. Zu einer vergessenen Perspektive im Philosophie- und Ethikunterricht. Ethik & Unterricht 4, 2001

Hainmüller, H.: Die Suche nach der eigenen Wahrheit. Ethik & Unterricht 4, 2002

Hainmüller, H.: Take care! Aspekte einer Ethik der Achtsamkeit.
Ethik & Unterricht 4, 2003

Hari, R., Forss, N., Avikainen, S., Kirveskari, E., Salenius, S., Rizzolatti, G.: Activation of human primary motor cortex during action

observation: a neuromagnetic study. Proceedings of the National Academy of Sciences USA 95: 15061–15065, 1998

Heiser, M., Iacoboni, M., Maeda, F., Marcus, J., Mazziotta, J.: The essential role of Broca's area in imitation. European Journal of Neuroscience 17: 1123–1128, 2003

Helland, S., Johansson, A., Sonnby-Borgström, M: Gender differences in facial imitation. Abstract aus der Universität Lund, Schweden

Heyes, C.: Causes and consequences of imitation. Trends in Cognitive Sciences 5: 253–261, 2001

Honneth, A.: Der Kampf um Anerkennung. Suhrkamp, 2003

Husserl, E.: Das Kind. Die erste Einführung. In: Fleicher, M. (Hrsg.): Analysen zur passiven Synthesis. The Hague, Martinus Nijhoff, 1966, Band 11, S. 604–608

Husserl, E.: Cartesianische Meditationen und Pariser Vorträge. The Hague, Martinus Nijhoff, 1973, Band 1

Husserl, E.: Ideas pertaining to a pure phenomenology and to a phenomenological philosophy (»Ideen II«). Dordrecht, Kluwer Academic Publishers, 1989, Band 2

Hutchison, W. D., Davis, K. D., Lozano, A. M., Tasker, R. R., Dostrovsky, J. O.: Pain-related neurons in the human cingulate cortex. Nature Neuroscience 2: 403–405, 2001

Iacoboni, M., Woods, R., Brass, M., Bekkering, H., Mazziotta, J., Rizzolatti, G.: Cortical mechanisms of human imitation. Science 286: 2526–2528, 1999

Iacoboni, M., Kosko, L., Brass, M., Bekkering, H., Woods, R., Dubeau, M. C., Mazziotta, J., Rizzolatti, G.: Reafferent copies of imitated actions in the right superior temporal cortex. Proceedings of the National Academy of Sciences USA 98: 13995–13999, 2001

Illhardt, F. J.: Die Medizin und der Körper des Menschen. Verlag Hans Huber, 2001

Insel, Thomas: Is social attachment an addictive disorder? Physiology and Behavior 79: 351–357, 2003

Jellema, T., Baker, C. I., Wicker, B., Perrett, D. I.: Neural representation for the perception of the intentionality of actions. Brain and Cognition 44: 280–302, 2000

Jellema, T., Perrett, D. I.: Coding of visible and hidden actions. In: Common mechanisms in perception and action (Wolfgang Prinz, Bernhard Hommel, eds.). Oxford University Press, 2002

Jellema, T., Baker, C. I., Oram, M. W., Perrett, D. I.: Cell populations in the banks of the superior temporal sulcus of the macaque and imitation. In: The imitative mind (Andrew Meltzoff, Wolfgang Prinz, eds.). Cambridge University Press, 2002

Jellema, T., Perrett, D. I.: Perceptual history influences responses to face and body postures. Journal of Cognitive Neuroscience 15: 961–971, 2003

Jellema, T., Perrett, D. I.: Cells in monkey STS responsive to articulated body motions and consequent static posture: a case of implied motion? Neuropsychologia 41: 1728–1737, 2003

Johansson, G.: Visual perception of biological motion and a model of its analysis. Percept. Psychophysiology 14: 202–211, 1973

Johnson, J. G., Cohen, P., Smailes, E. M., Kasen, S., Brook, J. S.: Television viewing and aggressive behavior during adolescence and adulthood. Science 295: 2458–2471, 2002

Jugendgesundheitsstudie Stuttgart 2000 (Schmidt-Lachenmann und Kollegen). Gesundheitsamt Stuttgart

Kächele, Horst: Der Begriff »psychogener Tod« in der medizinischen Literatur. Zeitschrift für Psychosomatische Medizin 16: 105–128, und 16: 202–222, 1970

Kiderlen, E.: Lebendiges Probehandeln (Überlegungen zum Theater als Möglichkeitsraum). Badische Zeitung, 9. 9. 2004, S. 29

Klein, S.: Alles Zufall. Die Kraft, die unser Leben bestimmt. Rowohlt, 2004

Kohler, E., Keysers C., Umiltà, M. A., Fogassi, L., Gallese, V., Rizzolatti, G.: Hearing sounds, understanding actions: action representation in mirror neurons. Science 297: 846–848

Kozlowski, L. T., Cutting, J. E.: Recognizing the sex of a walker from a dynamic point-light display. Perception and Psychophysics 21: 575–580, 1977

LeBon, G.: Psychologie der Massen (Ersterscheinungsjahr 1895). Kröger. 15. Aufl., 1982

Leder, D.: Clinical Interpretations: The Hermeneutics of Medicine. Theoretical Medicine 11: 9–24, 1990

Leslie, K. R., Johnson-Frey, S. H., Grafton, S. T.: Functional imaging of face and hand imitation: towards a motor theory of empathy. Neuroimage 21: 601–607, 2004

Levinas, E.: Ethik und Unendliches. Passagen Verlag. 3. Aufl., 1996

Lévi-Strauss, C.: Strukturale Anthropologie. Suhrkamp, 1975

Leweke, F. et al.: Neuronale Aktivität auf affektinduktive Reize bei Alexithymie. Psychotherapie Psychosomatik Medizinische Psychologie 54: 437–444, 2004

McGurk, H., MacDonald, J.: Hearing lips and seeing voices. Nature 264: 746–748, 1976

Meltzoff, A., Decety, J.: What imitation tells us about social cognition: a rapprochement between developmental psychology and cognitive neuroscience. Philosophical Transactions of The Royal Society London B 358: 491–500, 2003

Moles, A., Kieffer, B. L., D'Amato, F. R.: Deficit in attachment behavior in mice lacking the m-opioid receptor gene. Science 304: 1983–1986, 2004

Morris, S. C.: Life's solution – inevitable humans in a lonely universe. Cambridge, 2003. Siehe auch: Die Zeit, 19. 8. 2004, S. 29

Moser, T.: Körpertherapeutische Phantasien. Suhrkamp, 1989

Nelson, E., Panksepp, J.: Brain substrates of infant-mother attachment. Neuroscience and Biobehavioral Reviews 22: 437–452, 1998

Nishitani, N., Hari, R.: Temporal dynamics of cortical representation for action. Proceedings of the National Academy of Sciences USA 97: 913–918, 2000

Panksepp, J.: Feeling the pain of social loss. Science 302: 237–239, 2003

Papousek, M.: Vom ersten Schrei zum ersten Wort. Huber, 2001

Papousek, M.: Regulationsstörungen der frühen Kindheit. Huber, 2004

Rizzolatti, G., Fadiga, L., Gallese, V., Fogassi, L.: Premotor cortex and the recognition of motor actions. Cognitive Brain Research 3: 131–141, 1996

Rizzolatti, G., Luppino, G.: The cortical motor system. Neuron 31: 889–901, 2001

Rizzolatti, G., Fadiga L., Fogassi, L., Gallese, V.: From mirror neurons to imitation: facts and speculations. In: The Imitative Mind (Andrew Meltzoff, Wolfgang Prinz, eds.). Cambridge University Press, 2002

Rizzolatti, G., Fogassi, L., Gallese, V.: Motor and cognitive functions of the ventral premotor cortex. Current Opinion in Neurobiology 12: 149–154, 2002

Rizzolatti, G., Craighero, L., Fadiga, L.: The mirror system in humans. In: Mirror Neurons and the Evolution of Brain and Language (Maxim Stamenov, Vittorio Gallese, eds.). John Benjamins, Amsterdam 2003, S. 37–59

Rogers, S. J., Hepburn, S. L., Stackhouse, T., Wehner, E.: Imitation performance in toddlers with autism and those with other developmental disorders. Journal of Child Psychology and Psychiatry 44: 763–781, 2003

Safranski, R.: Wieviel Wahrheit braucht der Mensch? Fischer TB, 1993

Scheidt, C. E.: Der Spiegel – Zur Bedeutungsgeschichte einer psychoanalytischen Metapher. In: Geteilte Sprache (Utz Maas, Willem van Reijen, Hrsg.). Verlag Grüner, Amsterdam 1988, S. 305–320,

Schmid, W.: Schönes Leben? Einführung in die Lebenskunst. Suhrkamp, 2000

Schmid, W.: Ist das Leben ein Spiel? Philosophische Überlegungen zur Lebenskunst. Psychologie heute, Mai 2004

Schopenhauer, A.: Die beiden Grundprobleme der Ethik II. Preisschrift über die Grundlagen der Moral. Meiner Verlag, 1979

Sheldrake, R.: Das schöpferische Universum. Ullstein TB, 1993

Singer, T., Seymour, B., O'Doherty, J., Kaube, H., Dolan, R. J., Frith, C. D.: Empathy for pain involves the affective but the sensory components of pain. Science 303: 1157–1162, 2004

Singer, W.: Keiner kann anders, als er ist. Verschaltungen legen uns fest. Wir sollten aufhören, über Freiheit zu reden. Frankfurter Allgemeine Zeitung, 8. 1. 2004, S. 33

Spence, S. A., Brooks, D. J., Hirsch, S. R., Liddle, P. F., Meehan, J., Grasby, P. M.: A PET study of voluntary movement in schizophrenic patients experiencing passivity phenomena (delusion of alien control). Brain 120: 1997–2011, 1997

Spitzer, M.: Verstoßen im Scanner: Ablehnung schmerzt. Nervenheilkunde 22: 486–487, 2003

Stern, D.: The Interpersonal World of the Infant. Basic Books, New York 1985

Taddio, A., Shah, V., Gilbert-MacLeod, C., Katz, J.: Conditioning and hyperalgesia in newborns exposed to repeated heal lances. Journal of the American Medical Association 288: 857–861, 2002

Tarr Krüger, I.: Die magische Kraft der Beachtung. Herder, 2001

Theoret, H., Halligan, E., Kobayashi, M., Fregni, F., Tager-Flusberg, H., Pascual-Leone, A.: Impaired motor facilitation during action observation in individuals with autism spectrum disorder. Current Biology 15: R84–R85, 2005

Uexküll, Th. von, Wesiack, W.: Theorie der Humanmedizin. Urban Fischer, 2000

Umiltà, M. A., Kohler, E., Gallese, V., Fogassi, L., Fadiga, L., Keysers, C., Rizzolatti, G.: I know what you are doing: a neurophysiological study. Neuron 31: 155–165, 2001

Wager, T. D., Rilling, J. K., Smith, E. E., Sokolik, A., Casey, K. L., Davidson, R. J., Kosslyn, S. M., Rose, R. M., Cohen, J. D.: Placebo-induced changes in fMRI in the anticipation and experience of pain. Science 303: 1162–1167, 2004

Weaver, I. C. G., Cervoni, N., Champagne, F. A., D'Alessio, A. C., Sharma, S., Seckl, J. R., Dymov, S., Szyf, M., Meaney, M. J.: Epigenetic programming by maternal behavior. Nature Neuroscience 7: 1–8, 2004

Wicker, B., Keysers, C., Plailly, J., Royet, J. P., Gallese, V., Rizzolatti, G.: Both of us are disgusted in my insula: the common neural basis of seeing and feeling disgust. Neuron 40: 655–644, 2003

Willi, J.: Die Zweierbeziehung. Rowohlt, 1990

Willi, J.: Psychologie der Liebe. Rowohlt, 2004

Winnicott, D. W.: Reifungsprozesse und fördernde Umwelt. Fischer TB, 1993

Winnicott, D.W.: Vom Spiel zur Kreativität. Klett-Cotta, 1995

Wittstein, I., Thiermann, D., Lima, J., Baughman, K., Schulman, S., Gerstenblith, G., Wu, K., Rade, J., Bivalaqua, T., Champion, H.: Neurohumoral Features of Myocardial Stunning Due to Sudden Emotional Stress. The New England Journal of Medicine 352: 539–548, 2005

Young, M. P., Yamane, S.: Sparse population coding of faces in the inferotemporal cortex. Science 256: 1327–1331, 1992

Ziegert, B., Neuss, A., Herpertz-Dahlmann, Kruse, W.: Psychische Auffälligkeiten von Kindern und Jugendlichen in der allgemeinärztlichen Praxis. Deutsches Ärzteblatt 99: A1436–A1441, 2002

Register